CLAUDIA LISBOA

A luz e a sombra dos 12 SIGNOS

HISTÓRIAS E INTERPRETAÇÕES QUE AJUDAM
A COMPREENDER A FORÇA DOS ASTROS

CLAUDIA LISBOA

A luz e a sombra dos 12 SIGNOS

HISTÓRIAS E INTERPRETAÇÕES QUE AJUDAM
A COMPREENDER A FORÇA DOS ASTROS

Editor responsável: Guilherme Samora
Editora assistente: Tamires Cianci von Atzingen
Preparação: Ligia Alves
Revisão: Antonio Castro e Amanda Moura
Projeto gráfico, ilustrações e design de capa: Guilherme Francini
Foto de quarta capa: Marcelo Tabach/Editora Globo
Diagramação: Douglas Kenji Watanabe

Texto fixado conforme as regras do Acordo Ortográfico da Língua Portuguesa (Decreto Legislativo no 54, de 1995).

Dados Internacionais de Catalogação na Publicação (CIP)
(Câmara Brasileira do Livro, SP, Brasil)

Lisboa, Claudia
A luz e a sombra dos 12 signos : histórias e interpretações que ajudam a compreender a força dos astros / Claudia Lisboa. – Rio de Janeiro : Principium, 2018.

ISBN 978-85-250-6616-9

1. Astrologia 2. Horóscopos 3. Signos e símbolos I. Título.

18-18695 CDD-133.52

Índices para catálogo sistemático:
1. Signos do Zodíaco : Astrologia 133.52

4ª reimpressão, novembro de 2023

Direitos de edição em língua portuguesa para o Brasil adquiridos por Editora Globo S.A.
Rua Marquês de Pombal, 25
20230-240 – Rio de Janeiro – RJ – Brasil
www.globolivros.com.br

Para Eduardo Rozenthal,
meu eterno amor, pelo encontro que me levou
a mergulhar nas águas profundas.

SUMÁRIO

Leão

Virgem

Libra

Escorpião

Sagitário

Capricórnio

Aquário

Peixes

PREFÁCIO

Aprendi, ao longo de muitos anos fazendo mapas e revoluções com Claudinha, que a Astrologia não é um oráculo: é um guia que te ajuda a perceber os ciclos da vida e a reconhecer os dons, dificuldades, aprendizados, tensões e potenciais que trazemos ao nascer neste planeta. Quando entendemos e aceitamos a influência dos astros e os ensinamentos que eles trazem para cada fase da nossa existência, passamos a fluir melhor com os acontecimentos.

Claudinha tem uma enorme habilidade de trazer o seu inacreditável conhecimento de Astrologia para o cotidiano, para o dia a dia, para as pequenas coisas que dizem muito. E, através desses exemplos, ela nos faz entender como se dá essa influência.

É o que acontece neste livro. Em linguagem simples e utilizando depoimentos, casos e histórias de amigos e familiares, ela descreve o comportamento, os padrões, as características de cada signo do Zodíaco com precisão, doçura e humor. O leitor com certeza vai reconhecer amigos, parentes, afetos e desafetos nas descrições dos signos e assim compreendê-los melhor.

Astróloga desde o final dos anos 1970, Claudia Lisboa esbanja sabedoria, informação e conhecimento. Ao tratar do assunto alternando mitos, histórias e relatos dos personagens, ela nos conduz para o que realmente importa na Astrologia: saber quem somos. E, no equilíbrio da luz e da sombra dos nossos signos, nos tornarmos seres humanos melhores.

Desfrute.

Patricya Travassos

VIVER É POP!

Conheci o Guilherme Samora através da Mel, minha filha mais nova, quando ela representava nos palcos a rainha do rock'n'roll, Rita Lee. Depois de inúmeros espetáculos sentadinhos juntos, olhos grudados na magia da arte do teatro, nos tornamos amigos. A paixão em comum pela Rita e pelos astros nos aproximou e hoje produzimos este primeiro filhote.

Em pleno mês de janeiro, final do signo de Capricórnio, quase entrando Aquário, recebi um telefonema do Gui, editor de *A luz e a sombra dos 12 signos*, me convidando para escrever um livro. Ele pensava em uma obra que levasse o saber da Astrologia para todos — leigos, iniciantes e iniciados. Primeiro, defensora ferrenha de uma Astrologia profunda, senti o desafio bater à minha porta. Passei um bom tempo pensando e cheguei à conclusão de que era possível unir profundidade com a amplitude da superfície. Segundo, vencido esse desafio inicial, outro, de caráter pessoal, me fez oscilar e eu quase recusei o convite. Era um momento difícil, e achei que não ia dar conta dessa montanha que deveria escalar. Mas, como sou movida a desafios, resolvi encarar.

Como escrever de forma profunda e, ainda, ser pop? Foi aí que pensei: "Pop é viver". Não tive dúvidas, então. Quero um livro em que a Astrologia seja contada pelas próprias pessoas, com suas experiências e com os seus sentimentos. Como o momento pessoal dominava a cena da minha vida, nada era mais pertinente do que contar as histórias vividas por pessoas que fazem parte do meu universo íntimo, ou seja, meus alunos, meus amigos e minha família. Entrei em contato com alguns, obviamente não todos, e uns me contaram suas histórias, outros, por vários motivos, não puderam responder, mas todos acolheram nosso projeto com amor. Dessa forma, uni teoria e prática; meu conhecimento sobre os signos e a experiência dessas lindas pessoas que, generosamente, me contaram as suas histórias. A partir daí, era mãos à obra.

Sempre falei que a vida era generosa comigo. No final de abril, tive que fazer um retiro de 45 dias no interior da Alemanha. Foram tempos ainda mais difíceis. Eu só dizia para mim e para os meus amigos: "Santo livro! Vou ter o recolhimento necessário para me dedicar exclusivamente a ele". E assim foi.

Em meio à solidão que assolava minha alma, o que mais me emocionou nesse processo foi me ver escrevendo na terra em que nasceu minha professora, Emma Costet de Mascheville. É como se ela estivesse ali, me guiando os passos firmes nessa escalada. No final de maio, entreguei os originais para o Gui.

Convido você a partilhar comigo as histórias contadas por meus alunos e amigos e a saber como tem sido conviver com os signos das pessoas queridas da minha família.

Seja bem-vindo à Astrologia que fala da vida.

Claudia Lisboa

ÁRIES

LUZ EM ÁRIES

QUALIDADES

Liderança
Coragem
Independência

SOMBRA EM LIBRA

DESENVOLVER

Ponderação
Equilíbrio
Diplomacia

CARNEIROS

Costumamos associar os arianos à impulsividade e ao espírito competitivo, e isso tem tudo a ver com o carneiro, o bicho que representa o primeiro signo do Zodíaco e que tem a cabeçada como uma das suas grandes marcas. Ter a cabeça sempre pronta para dar chifradas é uma peculiaridade genética que remonta aos tempos em que esses animais corriam livremente pelos campos. Detalhe: essa talvez seja a cena que habita o inconsciente de um ariano. Viver aprisionado em caixotes empilhados ou andar em metrôs lotados nunca foi uma experiência saudável para quem é de um signo que preza seu espaço e luta para mantê-lo.

Independência é vida para os nossos carneiros zodiacais. Isso também explica a impaciência da maioria deles diante de uma situação que não lhes cabe resolver sozinhos. Esperar, seja enquanto ele mesmo faz alguma coisa, seja o tempo do outro, pode levar um carneiro a se preparar para dar cabeçadas. Conheci arianos que, ao comprar uma calça, se tivessem que aguardar para fazer a bainha e buscar a peça dois dias depois, não pensavam duas vezes: desistiam. Ou levam na hora, ou não querem mais.

Os arianos brigam por sua autonomia, que pode chegar muito cedo para uns, e, para outros, pode levar um pouco mais de tempo.

Esse é o caso de uma das amigas queridas que entraram na minha vida há pouco tempo. Mesmo ela sendo mais jovem do que eu, tenho aprendido muito com seu jeito assertivo e direto de ser ariana.

Meu encontro com a Natacha Martinho se deu no silêncio de um templo zen-budista que ela administra e comanda como só uma ariana saberia fazer. Há alguns anos, passei a frequentar o templo, e foi lá que, nos cafés da manhã pós-meditação e limpeza da casa, fomos nos aproximando. Hoje em dia, podemos passar horas tricotando. Natacha nasceu e foi criada num vilarejo, um lugar turístico e pacato que fica no interior da região central de Portugal. Seu desejo de expansão e seu encantamento pelas línguas estrangeiras eram tamanhos que ela chegava a sonhar que sobrevoava sua aldeia. "Cada vez que apareciam estrangeiros lá na terrinha", dizia a Natacha, "eu ia meter conversa com eles com o pouco inglês e francês que sabia. Até que a minha mãe viajou para terras estrangeiras de verdade, em busca de alguma coisa nova. Essa busca movimentou algo em mim, e um dia chegou a hora de eu seguir atrás dela. Eu fui e fiquei, meus primeiros passos de ariana corajosa sendo dados; fui recebida de braços abertos por ela, e o meu forte desejo de independência começou a ser realizado."

Além do fato de os machos disputarem as fêmeas na época do acasalamento, carneiros e ovelhas vivem em bando, e por isso precisam de um chefe. A disputa dos machos pela liderança é feita por meio de cabeçadas: vence aquele que tem a cabeça mais dura. Isso todo ariano sabe bem o que é. Seja por insistência, seja por falar mais alto, quem quiser paz ao lado dele acaba cedendo. Por outro lado, o carneiro jovem é o cordeiro, que costuma ser associado à pureza e à inocência. Foi aí que encontrei a associação com a ingenuidade, aquela que faz os arianos se arrependerem facilmente das suas atitudes espontâneas.

Sempre percebi uma certa mistura entre a agressividade e a brandura nos arianos com quem convivi. Isso é um tanto estranho, já que, no geral, os arianos são tachados de intempestivos, birrentos, marrentos e por aí vai. O.k., é verdade que eles também possuem essas características, mas elas não representam sozinhas o começo do círculo zodiacal, o signo que está associado ao brotar da vida na primavera. Áries vem logo após o término do signo de Peixes, anunciando a nova vida, do mesmo modo que a primavera surge após a dissolução da neve, o desaguar dos rios que fertilizam o solo, quando o frio cede lugar ao calor e a vida brota mais uma vez.

Abrir o Zodíaco não é pouca coisa. Áries é a locomotiva que puxa os onze vagões que vêm atrás dele, é o líder que encabeça nosso rebanho astrológico. Para dar conta dessa tarefa, são necessárias força e assertividade, características de todo bom líder. Há muitos anos, fiz o mapa do pai da Sãozinha, uma das minhas melhores amigas. Além de ter nascido com o sobrenome Carneiro, Armando é mineiro, fazendeiro e tem forte ênfase no signo de Áries no seu mapa de nascimento. Na consulta, comentei sobre a força das cabeçadas do signo. Eu ainda não tinha terminado minhas explicações quando ele me veio com esta: "Você sabia que um carneiro derruba um boi?". E ele seguiu dizendo que, se um carneiro pegar distância e apontar os chifres para você, é bom sair da frente antes que ocorra uma fatalidade! Pois acontece a mesma coisa com os arianos. Quando provocados, o sangue sobe à cabeça — e um bom ariano usa a própria para mostrar quem é o mais forte. Certa vez, comentei com um deles sobre essa força, e ele respondeu que só assim foi capaz de entender o motivo de ver tudo com a cor do sangue quando ficava com raiva. Outro caso típico foi o de uma menina que, na infância, quando era contrariada, batia a cabeça na parede para conseguir o que queria. É claro que os pais, assustados, acabavam cedendo.

Na sabedoria antiga, Áries rege a caixa craniana e o cérebro, centro de comando de tudo. Quando uma criança nasce, o normal é vir primeiro a cabeça, depois o restante do corpo. Liberado o comando gerado no cérebro, nossas ações e movimentos são quase

instantâneos. Pois assim também são as atitudes de um ariano: não há um tempo perceptível entre o impulso e a ação. Vai e pronto.

Conheço a Fernanda de Lamare desde o tempo de escola das minhas filhas. Amiga da minha filha mais velha, Nanda entrou para o rol das pessoas que eu amo por causa desse pacote que os filhos deixam na vida dos pais. Eu a acompanhei desde moleca até hoje: uma mulher forte, independente e ariana! Uma vez perguntei para a Nanda como era ser e se sentir desse signo. "Eu amo ser ariana", ela respondeu. "Os arianos são seres muito vivos, otimistas, quentes, impulsivos, entusiasmados, honestos e multitarefas. Eu digo que os arianos não conseguem ficar em silêncio. O mais engraçado é que as características que eu mais amo em mim como ariana são também as que eu mais repudio. Porque impulsividade, intensidade e vivacidade, se usadas na dose ou na maneira errada, podem ser bem maléficas — transformando essas características lindas em impaciência, facilidade de ficar entediado, explosão e agressividade. Acho que todos os arianos têm orgulho de ser arianos porque acham os outros signos muito chatos e entediantes. Mas, ao mesmo tempo, assumimos que podemos muitas vezes passar do ponto."

Cordeiros

Se por um lado a impulsividade pode se aliar à agressividade, por outro, a ingenuidade é a manifestação do cordeiro, o carneiro jovem. O certo é que um ariano não amadurece rapidamente. Ele cresce na medida dos tombos que leva, das muitas cabeçadas que dá e que são as responsáveis por algumas enxaquecas. Estas, aliás, eu presenciei com frequência no meu convívio com arianos, sejam elas dores de cabeça reais, sejam simbólicas. A cara marrenta de alguns deles mostra claramente quando estão com a cabeça quente.

O incrível paradoxo que encontro nos arianos é semelhante ao dos adolescentes: um misto de coragem e medo, num mundo que deve ser conquistado e que é sentido como inimigo, é claro. Num ser desajeitado e atolado de vigor convivem simultaneamente o temor e a expectativa. É o cordeiro que ainda não cresceu, mas que faz tudo para parecer um carneiro adulto.

Vejo com um enorme carinho, mas também com muita irritação, os arianos tentando ser heróis quando, na verdade, estão tremendo nas bases. Me dá vontade de dizer: "Oi, cara! Acolha a sua fragilidade! Isso também é um ato de coragem!". Para ser franca, eu digo, sim, e do outro lado sinto um sopro de alívio.

Pois é, os heróis também têm dor de cabeça, acordam sem disposição e, principalmente, têm medo. A coragem só faz sentido diante do medo. Coragem sem medo é destemor, coisa de quem ainda não amadureceu.

Os arianos são mesmo como adolescentes: intempestivos, instintivos e com uma estrondosa necessidade de autoafirmação. Afirmar-se é um processo contínuo, o que não denota que estejam sendo egoístas, mas sim experimentando sua força ainda incontida. Limites? Nem pensar! Eles vão até a exaustão ou até que alguma coisa barre sua intensidade.

Perto dos trinta anos, Natacha viveu uma experiência mais ou menos dessa ordem quando, impulsivamente, voou para terras estrangeiras de novo. Aliás, eu não diria que foi impulsivamente, mas, sim, pressionada pelas circunstâncias da época. Deixo a palavra com ela: "Em certo momento da minha jornada, mudo novamente de cenário estrangeiro, cuidando dos outros em vida e em morte. Eu fui tão fundo nesse tema de vida e morte que até deixei a ariana bem esquecida no seu cantinho, pois nada naquele momento era mais importante que conversar com essa tal morte. Até que, no meio dessa multidão estrangeira, me perco de verdade, misturo o meu Eu com os demais. Depois de alguns anos nessa mistura de Eus, e com

as fraquezas e confusões de não saber mais o que era aquilo tudo, minha tão querida ariana renasce das cinzas feito uma fênix, me libertando da confusão de não saber mais onde eu estava e quem eu era. Ela chegou e, com a linda certeza de ter voltado às suas terras, afirmou mais uma vez: 'Dá licença, agradeço todo o aprendizado, mas retorno para guiar este barco, com o sol iluminando o meu caminho'".

Muitas vezes, para compreender um ariano, precisamos levar em conta que suas atitudes raramente são premeditadas. O que para o outro é um ato agressivo, para o ariano pode ser algo natural, espontâneo, desprovido de qualquer tipo de violência. Ele dirá que não falou por mal, que apenas expressou o que pensava. É a franqueza de um ariano quando ele não reflete sobre o que vai dizer. Simplesmente o que vem à cabeça vai direto à fala. Eis aí o nosso cordeiro: jovem, impulsivo e inábil na diplomacia.

Flavio Rossi, amigo que veio no pacote de amigos da minha filha mais nova e do meu genro, artista plástico responsável por muitos dos quadros que orgulhosamente expomos nas paredes da nossa sala, diz que seus pecados têm a ver com a empolgação e a precipitação. Para ele, além de outras características, ser ariano é falar demais, essa história do cérebro no lugar da língua, entrega de prima, não pensa para falar e espera compreensão. É pura imponderação, vai com tudo, dá o foda-se, quebra a cara e não sobra nada.

Ele é o meu melhor exemplo do híbrido entre o carneiro e o cordeiro. Os olhos estalados de quem não teve ideia do que disse, mas afetou profundamente quem está à sua frente. É certo que cada ariano pode tender mais para um lado, ou mais para o outro. Em alguns, a falta de medida é certamente sua marca registrada. Em outros, é a brandura do animal ainda jovem que aprende com os mais velhos, mas que um dia provavelmente vai dar cabeçadas para garantir o próprio espaço. No Flavio, ora surge um, ora o outro aparece com tudo.

Toda essa força guerreira também é visível na impulsividade do ariano, que não para um segundo para avaliar as consequências das suas ações. Que o diga a Nanda: "Certa vez eu estava parada com o meu carro no sinal vermelho e um cara quebrou meu vidro e levou minha bolsa. Eu, na minha impulsividade descontrolada, não hesitei em ir atrás do cara, então engatei a primeira e fui — ignorando que tinha um carro parado na minha frente. Resultado: além de ter a minha bolsa roubada, bati o carro na traseira do veículo da frente. O homem saiu do carro com uma cara de 'o que está acontecendo, sua doida?' — e com toda a razão".

Os antigos representavam com o carneiro a grande qualidade de um ariano: a liderança. A pessoa de Áries toma a frente sem pedir licença e vai fazendo, encarando sua maratona diária, na maioria das vezes na corrida mesmo, igual ao carneiro, que toma distância para bater cabeça com cabeça. Ainda que seu rebanho seja pequeno, ele sempre estará a postos para dar as tintas e resolver o que os outros não conseguem fazer por conta própria. É nesse sentido que vejo os arianos dispostos a fazer tudo pelas pessoas que estão sob seu comando. É evidente que farão do seu jeito. São do tipo "deixa que eu faço, mas não me diga como". A maioria deles comenta que faz tudo para todo mundo, decide por todos, ajeita a vida das pessoas e ainda resolve sozinho os próprios problemas. E tudo isso é a mais pura verdade. Os arianos com quem convivo não dão folga: quando você menos espera, sua vida já está encaminhada e seus problemas, resolvidos. Mais uma vez, sempre à moda deles, pois quase nunca fazem como você gostaria que fosse feito. Mas isso seria esperar demais do nosso carneiro impulsivo, competitivo e superativo.

Filhos de Marte: guerreiros

Marte é o planeta que rege Áries, ou seja, que carrega no seu simbolismo qualidades semelhantes às do signo, revelando outras

características além daquelas associadas aos carneiros. Na mitologia greco-romana, Marte é o deus guerreiro, responsável tanto pela defesa quanto pelas conquistas feitas na marra.

Entretanto, é preciso saber diferenciar o deus grego do deus romano, caso raro nessas mitologias. Os romanos importaram os deuses da Grécia na base do pacote fechado, com algumas exceções. Marte é uma delas.

O deus grego se chamava Ares, era violento e odiado por divindades e por humanos. Tinha uma força brutal e uma coragem cega. Ele era o responsável pelas lutas sangrentas; era ele quem provocava as batalhas. Com seu tamanho descomunal, vestia um capacete e uma armadura pesada e andava armado com lança e escudo. Sua maior característica: obter o prazer na luta pela luta.

Por sua vez, o deus romano se chamava Marte e era corajoso e protetor. Os romanos acreditavam que o estrondo produzido pelo choque dos escudos quando Marte entrava em ação tinha por finalidade afastar os maus espíritos da cidade, da população e dos rebanhos. Desse jeito, Marte se tornou um deus associado mais à defesa do que ao ataque, mais à proteção do que à violência.

Tudo isso é para falar outra vez sobre os dois jeitos de ser do nosso ariano. Você já deve ter tido a oportunidade de presenciar a ação dos dois deuses na personalidade de uma pessoa do signo de Áries. Há momentos em que surge o Marte briguento; noutros, o defensor. Que eu me lembre, até hoje não conheci nenhum ariano que tivesse direito à exclusividade de um dos deuses. Alguns tendem mais para o grego, outros, mais para o romano. Mas vira e mexe um deles pede descanso e alterna seu posto com o outro.

O briguento é aquele que, se acordar atravessado e ouvir um bom-dia, responde com um “O que você quer dizer com isso?”. E arma um barraco já pela manhã. Ai daquele que, nessa situação, não entrar na briga. O Marte grego vai criar o maior rebu até a paciência do outro ir para o espaço. Cinco minutos depois, tudo volta ao normal, como se nada tivesse acontecido. O furor tomou outros rumos e o ariano está pronto para mais uma jornada.

O defensor é aquele que dá a vida para resguardar os que precisam de proteção ou ajuda. Não importa se ele está se ferrando todo: só sossega quando a batalha está ganha, quando não há mais problemas para resolver, quando os desafios são superados — eis o momento em que o guerreiro repousa. Essa é uma das maiores características de um deus que luta por uma causa justa. Não há arrependimentos.

Eu vejo o deus grego e o deus romano nas palavras do meu amigo Flavio: "Há exagero em tudo, tudo parece estar numa escala de importância — eu diria urgência — maior do que a normal, tudo é muito! Isso me faz sofrer mais, a ponto de ser dramático; me faz amar mais, a ponto de ser fantasioso. Se houver uma discussão, é guerra! E, depois da guerra, há o arrependimento".

A intensidade provocada pelo temperamento dos dois deuses é, ao meu ver, uma das grandes virtudes do signo de Áries. O ariano vai com tudo. É tudo ou nada! Esteja certo de que, quando ele está em ação, você pode contar completamente com o deus guerreiro. Ele vai brigar com unhas e dentes para ajudá-lo, seja fazendo por você o que está fora do seu alcance, seja dizendo um monte de verdades para que você saia de um atoleiro ou de uma simples acomodação.

Em contrapartida, não é nada fácil convencer um ariano a fazer algo que ele não queira. O segredo é alimentar sua autoestima, dizendo que será uma ousadia se ele agir daquele jeito, o que, no fundo, é a mais pura verdade. Para um ariano, a alegria está em superar barreiras, em ganhar mais um ponto no jogo para o qual ele foi desafiado. O incrível é perceber que o espírito competitivo do carneiro, somado ao do guerreiro, aparece quase sempre como autossuperação. A bem da verdade, o maior adversário de um ariano é o seu próprio limite. É por essa razão que a prática

de atividades físicas vigorosas alivia suas tensões e canaliza sua personalidade competitiva.

Para esse guerreiro, vida é ação, é desafio. Não se pode querer que um ariano, cuja alma é habitada por Marte, Ogum ou São Jorge, viva bucolicamente numa cidadezinha calma, sem riscos, acordando com as galinhas e dormindo com os passarinhos. Sem agitação, você conhecerá o mais irritado, intolerante e intempestivo ser que a natureza botou sobre a Terra.

Por ter esse temperamento, a maioria dos arianos não vai bem com burocracia, dinheiro ou qualquer uma dessas atividades terrenas que exijam algum grau de paciência.

Meu amigo e parceiro de meditação e de trabalho, Pedro Gutman é um desses arianos de carteirinha. Quando ele entrou na minha vida, não pediu licença e ficou. O traço infantil, a intuição, a iniciativa, a impaciência, tudo está presente no seu jeito de ser na vida. Conheci o Pedro no mesmo templo zen-budista em que encontrei a Natacha. Lá, eu fui apresentada a um ariano quieto — como todo zen-budista deve ser — e organizado. Mais tarde, entendi que a prática espiritual foi o jeito que ele encontrou de adquirir disciplina e concentração. Segundo o Pedro, o que ele está tentando trazer para si com a meditação é estar presente e acreditar em cada movimento do corpo, para dar conta de tudo no dia a dia. Às vezes, ele não consegue se organizar porque tem mil impulsos, e por isso precisa deixar que o corpo se encarregue de fazer e não pensar em cada impulso que tem. O Pedro diz que essa é uma reação corpórea, infantil, um instinto ou uma intuição de Áries. Quando ele confia, dá certo.

A sua maior marca ariana é uma impressionante autonomia e a capacidade de ser um autodidata, quase um nerd. Menos de um ano depois, o Pedro já estava trabalhando comigo. E que gás! Haja fôlego para acompanhar seu ritmo. Tá certo que, quando ele passa dos próprios limites e chega à exaustão, surge o Marte grego e, com sabedoria, eu tento sair da rota de colisão. Mas eu sei que, se isso acontecer, não vai durar muito tempo. Os arianos dificilmente são pessoas ressentidas.

Falando em impulsividade e inabilidade com coisas terrenas, tempos atrás, o Pedro enfrentou um momento crítico no trabalho. Estava se sentindo pressionado, coisa que, dependendo da situação, deixa um ariano fora de si. Depois de algumas idas e vindas com os colegas, alguns dias de férias foram cogitados, e, na mesma hora, ele comprou uma passagem promocional para o Uruguai. Acontece que, na data marcada, não haveria nenhuma condição de ele viajar, pois seria o momento mais importante da sua presença no projeto que estávamos desenvolvendo. O Pedro diz que foi pura impulsividade comprar uma passagem que até agora ele não usou. Foi uma expressão da sua vontade de independência, que, quando muito represada, detona e passa por cima de tudo, um fogo de palha meio infantil, só para depois cair para trás e aprender um pouco.

A sombra de Áries: a indecisão

A luz que incide em Áries também projeta sombra em seu signo oposto, Libra. A grande chave que abre as portas para a potencialização criativa de um signo está nas qualidades de seu oposto. É importante saber que a sombra está sob o nosso poder, e não projetada nas pessoas. Se conhecermos o lado sombrio do nosso signo, estaremos conectados diretamente com a possibilidade de despertar o que nos falta e que é responsável pela desordem das nossas energias. No caso de Áries, são as qualidades de Libra que estão na sombra e que, se forem iluminadas, podem trazer equilíbrio.

Por detrás desse destemido carneiro, existe um poço de insegurança. A impulsividade desmedida e agressiva esconde a dúvida, o vacilo e o medo de não ser acolhido pelo outro. Minha experiência

com os arianos mais próximos mostra o quanto eles são efusivos e fortes nos encontros e sensíveis e frágeis nas despedidas. Áries é o signo do começo, da novidade que vem com o desconhecido, da empolgação com as novas emoções. Para ele, cada encontro é um novo encontro e, no seu íntimo, ele acredita que tem uma vida toda pela frente, ainda que viva mais como fogo de palha do que como brasa incandescente. Nas despedidas, a sensação é a de ter um jato d'água apagando seu fogo, e nesse momento não há mais tempo para conquistas magistrais.

É em situações como essas que a fragilidade do ariano dá passagem para suas emoções mais profundas, para suas inseguranças e medos. Aquele ser que faz qualquer coisa para ser independente, que ama a liberdade e prefere fazer tudo sozinho, carrega na sua sombra a dependência e a necessidade da aprovação do outro. Essa é a sombra projetada no signo de Libra, a balança, símbolo da união, da parceria e da força dos encontros. Quando um ariano quase atropela alguém, é provável que seja um ato inconsciente de tentar chamar a atenção para si.

Evidentemente que as qualidades típicas do signo de Libra, tais como a temperança, o equilíbrio e a diplomacia, estão completamente obscurecidas nas sombras do nosso guerreiro. No fundo, no fundo, sua intenção é a de ser visto, reconhecido e amado. Imagino que talvez seja esse o motivo para tantos arianos que conheci terem colecionado algumas inimizades ao longo da vida. E todos, sem exceção, não entendiam direito o motivo. Penso que seja porque a tentativa de agradar o outro seja realizada de maneira desastrosa, desajeitada e inábil no uso das táticas que fazem despertar nas pessoas um gesto acolhedor.

O Flavio viveu um episódio sinistro exatamente porque tentou agradar a todos e, ao mesmo tempo, quis atender a seus interesses usando a armadura e a espada do herói guerreiro, convicto de que tudo acabaria bem. Nas palavras dele: "Fui para o Le Coq Hardy, casa recém-inaugurada com a direção do Tripoli, fotógrafo, já acelerado porque combinei de chegar no primeiro horário e comemorar com meu amigo a abertura da sua exposição. Minha namorada na época me acompanhou, mas ela iria cantar no Baretto dali a 15 minutos, sendo que essa casa ficava a uns 20 minutos da exposição do Tripoli. O ariano pensa o seguinte: vamos para a inauguração porque combinei de chegar no primeiro horário, brindamos em 15 minutos e partimos para o show da minha namorada. Faltando pouco para irmos embora, começam a chegar os convidados e sou apresentado a uma colecionadora de arte que estava louca para ter um trabalho meu na sua coleção, só que ela ficaria 15 minutos e iria embora (devia ser ariana também, nunca soube). Mas, como ariano é fiel e dedicado [risos], eu disse para a colecionadora que voltaria em 10 minutos. Então sigo, levo minha namorada para o Baretto, subo a avenida à la Ayrton Senna, no cronômetro! Consigo! Ótimo! Prazer absoluto começa a se manifestar! Tudo na meta! Até meter o carro atrás de outro! Crash!!! Uma bela batida! Perda total no meu e no outro carro, duas vértebras quebradas".

Taí uma experiência tipicamente ariana, repleta de heroísmo, de autoconfiança e da inabilidade de ponderar e reconhecer seus próprios limites. Na tentativa de ficar bem com todos e, ainda por cima, não perder a oportunidade que lhe foi dada, Flavio pagou o pato tanto física quanto psicologicamente. É a mais pura manifestação da sombra de Libra, signo oposto e complementar de Áries.

A impotência e a indecisão não são coisas que as pessoas do signo de Áries admitem possuir, salvo aquelas que já iluminaram sua sombra. Você consegue imaginar um ariano inseguro na frente de alguém que ele ama e admira? Penso que sim, porque a sombra, por mais que a gente não faça contato com ela, fica bem evidente para quem está de fora. Podemos ver com clareza o ariano infantil, destemperado e imprudente devido à dificuldade de ponderar, de pensar antes de agir, características do signo de Libra.

De um lado, temos o doador de energia, vibrante, ativo; na sombra, o que medita e equilibra. O que eu mais ouço dos arianos é que falta equilíbrio no seu jeito de levar a vida. Entretanto, quando os polos se encontram, o eu e o outro se aproximam, e, nesse momento, a sombra de Libra fica iluminada.

"Se você precisa de alguém para te dar uma força para começar alguma coisa, conte com um ariano. Eu sinto que brilho quando tenho um projeto de alguém para apoiar, alguém para dar a mão e falar: 'não, cara, vamos fazer isso!'. Eu sou ótimo em começar projetos, talvez por isso esteja sempre começando algum e seja tão bom nessa fase de iniciação, de resolver as coisas para as pessoas, de só fazer, de ir lá e oferecer essa energia. Então, se você precisar de alguém para te acompanhar numa jornada, num começo, talvez o ariano seja a melhor pessoa", me disse o Pedro. Um belo exemplo de equilíbrio entre a luz de Áries e a sombra consciente de Libra.

As arianas da minha família: Madeleine e Isabela

Duas mulheres de temperamento forte, verdadeiros furacões. Duas arianas. Nelas, reina apenas a distância de serem avó e neta. No resto, hoje tenho certeza do quanto se parecem. Entram com tudo, entram com o pé na porta sem a menor cerimônia e com carinha de quem acabou de tomar uma bela chuveirada, refrescadas do seu fogaréu de paixões e de lutas. Apesar de ambas viverem como se a vida fosse acabar dali a cinco minutos, suas histórias de vida são absurdamente diferentes, tal qual a fenda de um abismo que separa um lado do outro.

Isabela é minha irmã. Nos chamamos carinhosamente de "flori". Madeleine é a nossa avó. Nascida no Brasil numa das idas e vindas do nosso boêmio bisavô belga, vovó voltou para Bruxelas ainda bem pequena e só retornou à nossa terrinha perto de completar seus trinta anos. Reza a lenda na nossa família que a única pessoa que o meu bisavô de gênio marrento e agressivo respeitava era a filha, ariana dos pés à cabeça. Hoje eu entendo que só poderia ser desse jeito, já que quem é de Áries odeia com todas as forças levar desaforo pra casa. Num tempo onde as mulheres eram recatadas e do lar, Madeleine era um peixe fora d'água, ou melhor, ovelha desgarrada do rebanho.

Não sei bem o que aconteceu quando ela ainda era muito jovem — isso a minha avó nunca me confessou, por mais que eu implorasse com todas as lágrimas e manipulações de que só um pisciano dispõe —, mas sei que ela se mandou para Paris e — aí, sim, ela me contou —, catando alfinetes, começou uma profissão que hoje chamamos de estilista. Na época, ela trabalhou num ateliê de costura onde se encarregava, entre outras coisas, da criação de figurinos para o teatro. Imaginem só, isso foi lá nos idos de 1920! Uma jovem sozinha em Paris e dona do seu próprio nariz! Só mesmo uma mulher de Áries para enfrentar o bombardeio de críticas de uma sociedade hipócrita e machista. Se isso a afetava, ela nunca me falou. Contava com o maior orgulho do mundo sobre a sua vida na cidade das luzes.

Para entender a vinda dela à terra do pau-brasil, é preciso saber que a minha avó era ateia. Ela dizia que sua religião era não fazer mal aos outros e fazer bem a quem ela podia. É claro que nem todo ariano é ateu, mas eu via nela o traço de "faço o que posso, o que está ao meu alcance, e não fico dependendo de alguém ou de qualquer outra força", típico desse signo zodiacal. Mas a questão foi que ela se apaixonou por um cara de uma família religiosa que lhe impôs a conversão para que pudessem se casar e seguir a vida juntos. Como ela não aceitou, tipo "só passando por cima do meu cadáver", e o cara não bancou, ela impulsivamente embarcou num navio, atravessou o Atlântico e veio afogar suas mágoas nos mares

do Rio de Janeiro. Daí a ela conhecer meu avô, um taurino, também ateu, que não deu a menor bola para o fato de ela ser uma mulher livre, foi um passo só. A marca da impulsividade e coragem arianas tatuou o desenho da vida dessa mulher, que foi, para mim, um exemplo de dignidade, força e coragem, a despeito de ser também autoritária, muitas vezes rabugenta e totalmente impaciente com mimimis de filhas e netos.

Por sua vez, minha irmã, uma ariana turbinada — tem o Sol e a Lua em Áries —, me mostrou o outro lado dos arianos. Ela é capaz de sair esbaforida de casa para dar conta das toneladas de compromissos que assume no trabalho e esquecer de dar bom-dia para quem está calmamente tomando seu café da manhã e esperando por um papinho matinal descompromissado. Eu, sensível aos turbilhões, custei a ver o tamanho do amor que cabia no seu coração fogoso. E foi assim que acabei percebendo: toda vez que viajo para o sul, lugar onde minha família mora, ela larga o que está fazendo e me apanha no aeroporto. Na sala de desembarque. Não adianta dizer para ela passar na porta que eu espero, que fico fazendo hora tomando um cafezinho, que vou aproveitar para passar no banheiro. Não. Ela faz questão de estacionar, tomar o tal café batendo um papo tranquilamente, pagar o estacionamento e carregar minhas malas, querendo eu ou não. Na volta, é exatamente a mesma coisa, com uma diferença. Na despedida, o coração quente da ariana transborda e as lágrimas correm sem pudor. Imaginem se eu, pisciana, não compartilho do pranto. Assim, fogo e água, avó e irmã me aquecem e me refrescam num abraço de respeito, intensidade e amor.

LUZ EM TOURO

QUALIDADES

Doçura
Firmeza
Perseverança

SOMBRA EM ESCORPIÃO

DESENVOLVER

Desapego
Intuição
Profundidade

TOURO

TOUROS

Vamos começar pensando na expressão "Fulano é forte feito um touro"! De que força estamos falando? Para o senso comum, essa tal força é física, força de resistência, ou tem a ver com uma saúde inabalável. No Zodíaco, o Touro é a figura simbólica de maior massa. Seu tamanho dá de dez a zero em todos os outros signos astrológicos, se bem que tamanho não é documento: basta pensar na força do Leão ou do Escorpião. Até certo ponto, o senso comum tem razão: há ali a representação da força da matéria. Mas, como veremos um pouco mais adiante, essa força não é somente a física, já que nascem e crescem taurinos mirradinhos. Enquanto não chegamos lá, vamos trilhar o caminho que os antigos fizeram e descobrir como eles entendiam a potência dos touros, a começar pela história de Europa, que deu origem à Constelação de Touro.

Europa era uma princesa de beleza estonteante que, um belo dia, quando se divertia com suas amigas, deixou tonto de desejo o poderoso Zeus. Como costumava fazer em outras ocasiões — Zeus se transformava em diferentes animais com o intuito de seduzir homens e mulheres —, o deus se metamorfoseou num belíssimo touro branco, com os cornos em forma de Lua crescente. Passado o susto, a moça começou a fazer carinho no touro e se

sentou no dorso dele. Zeus não perdeu tempo e se atirou com ela ao mar. A princesa se agarrou nos chifres do animal parrudo para não despencar, e, apesar dos seus gritos de terror, os dois sumiram debaixo das ondas e foram parar na famosa ilha grega de Creta. Lá se amaram, casaram e tiveram três filhos. Depois que Europa morreu, recebeu honras divinas. O Touro foi levado ao céu e transformado numa das doze constelações do Zodíaco.

Bem que poderíamos ficar aqui por horas comentando o significado de toda a história, mas o que mais nos interessa é a forma dos cornos do touro: o crescente lunar. Para a galera que viveu há muito, muito tempo atrás, a Lua era tida como a Grande Mãe divina. Segundo os antigos, o astro noturno tinha o poder de fecundar o solo e produzir alimento. Eis a associação com o signo de Touro: sustentar e produzir segurança material. Não é à toa, por exemplo, que touros e vacas são sagrados na Índia. Mas, então, por que o signo é representado pelo animal macho e não pela vaca? Bem, vamos lá! Ao mesmo tempo que os cornos do touro eram vistos como um receptáculo, como a abertura feminina, o chifre era um símbolo fálico por ter a forma de penetração. O solo fértil feminino fecundado pelo sêmen masculino garantia a boa colheita e espantava a fome e a desolação.

Sobre esse assunto, uma taurina que entrou na minha vida para ficar sabe mais do que ninguém manter o solo fértil e produzir boas sementes. No final de uma palestra para a qual fui convidada, Anna Capanema chegou devagarinho e perguntou se poderia frequentar o curso de Astrologia. Não se passou nem uma semana e lá estava a minha taurina magrelinha, mas que pedala, corre e pratica montaria, aninhada na minha sala de aula. A Anna, com a dedicação que só um taurino sabe ter, mesmo com tão pouco tempo de amizade, cuidou de mim, corpo e alma, quando precisei ser acarinhada. Isso sem contar que, sendo médica, ela me disponibilizou uma farmacinha para as mazelas que aquele momento produziu no meu corpo. No trabalho, a Anna não deixa dúvidas quanto ao DNA do signo, ou seja, quanto à força do crescente lunar: "Desde muito jovem", ela conta, "me vi impulsionada por uma enorme força de trabalho que me proporcionasse estabilidade financeira para manter minha casa e família com qualidade de vida e segurança. Vários cursos de especialização e concursos públicos me levaram a alcançar esse objetivo, sem medir esforços e com muita garra e determinação".

Para um taurino, a segurança material é a chave da sua liberdade e do seu bem-estar. Não dá para imaginar o nosso Touro zodiacal passando o chapéu, esperando que alguém sinta peninha e dê uma ajudinha para a próxima refeição. Não, os taurinos levam a sério essa questão de dinheiro e estabilidade. O solo firme deve ser mantido sob os seus pés. No primeiro sinal de ameaça à sua solidez, o nosso parrudo animal se torna inseguro e a docilidade típica dos taurinos vai para as cucuias.

Patricya Travassos, atriz, escritora, compositora e apresentadora, foi minha amiga, minha irmã, minha mãe e minha companheira de tudo desde sempre. Digo *desde sempre* quando considero o começo da minha vida no Rio de Janeiro. Não me lembro do momento exato em que nos tornamos tudo isso. Na minha memória, sempre fomos. Acho que vão aí muitas "encadernações". Pat foi aquela amiga que, num dia meu de desespero total, cansada de tanto chorar, me acolheu na sua casa com um banho de banheira, comidinha vegetariana, vinho e cama com lençóis brancos e cheirosos para eu descansar. Sem falar na Cuscuz, sua gata branca que ronronou durante a noite toda nos meus pés. Ainda que Pat me diga que não tem muita certeza do quanto é taurina, sua fala revela a potência do signo: "Para mim é muito importante que a parte material esteja resolvida para eu poder voar em outras áreas. Enquanto ela não está definida, minha prioridade é trabalho, é estrutura, é organização". Nisso, os taurinos são mestres. Se falam por aí que

eles são preguiçosos, eu digo que não conheço nenhum que não tenha amor pelo trabalho e que prefira ficar esticado na canga da praia a ver uma bela produção ser originada de suas mãos. Nesse ponto, alguns até são meio burros de carga, o que já vai um pouco para o lado dos excessos, coisa que, por sinal, não lhes é estranha.

Associando o significado da força do crescente lunar como sendo receptiva à representação fálica dos cornos, o que eu sinto nos taurinos é uma baita dose de coragem para persistir nos seus objetivos, quase a ponto de se tornarem obsessivos com o que fazem.

Meu querido amigo e editor, Guilherme Samora, é um desses taurinos obstinados pelo trabalho. "Nunca deixo de terminar nada que comecei", diz o Gui. "Eu preciso fazer, produzir e entregar. Isso vale muito para mim. E não descanso até finalizar um projeto." Não é à toa que ele mesmo se diz uma pessoa fixa. "Eu sempre gostei das mesmas músicas, dos mesmos artistas, dos mesmos escritores. Frequento sempre os mesmos restaurantes. E, se troco por algum motivo, nunca dá muito certo e eu penso comigo mesmo: 'Está vendo? Pra que mudar?'".

Experimente ver um taurino que perdeu alguma coisa! Não precisa ser algo caro nem ter uma grande importância. Basta ter perdido uma bobagem qualquer que brota do nada o ser obcecado que só para quando encontra o objeto perdido ou quando é vencido pelo cansaço. Há no taurino uma enigmática mistura entre a doçura feminina e a assertividade masculina, o que eu considero um dos maiores charmes nas pessoas desse signo. Os taurinos pisam forte e, ao mesmo tempo, acariciam; são duros e, ao mesmo tempo, sensíveis. É força para ninguém botar defeito.

"Uma coisa que eu acho legal, e que não sei se é do Touro ou se é do conjunto da minha personalidade, é que eu sou uma pessoa corajosa. Eu posso até ter medo das mudanças, mas eu continuo andando", diz a Pat, confirmando minha opinião sobre a lenda da passividade dos taurinos. Com a Anna acontece a mesma coisa, ainda que ela ressalte que sua coragem é fortalecida pela cisma típica do signo: "Lembro de quando eu quis pular de parapente numa praia de Cancún e minha filha disse que era arriscado e que eu não deveria ir. Mas a teimosia e a obstinação taurinas venceram e me levaram a ter uma experiência inesquecível".

Outro taurino querido que estreou na minha vida fazendo mapa e frequentando meu curso de Astrologia foi o Guga Millet. Pinta total de taurino, hoje ele é o diretor de fotografia e de arte dos vídeos que gravo para a internet e para os cursos on-line. Por mais que eu saiba que tenho uma montanha para escalar no dia das gravações, eu espero com o maior carinho a hora de o Guga chegar para tomarmos juntos um cafezinho e, no intervalo, pedir um almoço maravilhoso no restaurante vegetariano aqui do bairro onde eu moro. Quando ele viaja — o que acontece muito por conta das filmagens do seu trabalho —, eu morro de saudade desses momentos de troca afetiva e de trabalho com ele.

Foi numa dessas manhãs de cafezinho antes de começarmos a gravar que o Guga me falou dos quase dois anos que passou economizando literalmente centavos, deixando de fazer coisas, saindo e tomando só um chope, para comprar um computador de que ele precisava para o seu trabalho. Mais uma vez, quem disse que os taurinos não gostam de trabalhar?

Artesãos

Além do touro de Europa, existe uma história na mitologia grega que mostra outro lado do jeito de ser dos nossos Touros zodiacais. Aleijado e casado com Vênus, Vulcano era o artesão que trabalhava habilidosamente com ferro, bronze e os metais mais preciosos da face da Terra. Em sua oficina, no coração de um vulcão, o ferreiro e ourives divino produzia para os deuses as mais belas

joias e objetos de poder. Vulcano era um trabalhador incansável, obstinado em produzir, produzir, produzir. Um detalhe importante: mesmo sendo fisicamente defeituoso, o deus só teve mulheres lindas. Eis que surge detrás de qualquer imperfeição física a força do poderoso animal branco que seduziu Europa.

Voltando às ferramentas que Vulcano produzia — deixo para falar sobre joias um pouco mais adiante —, para mim, uma das qualidades que melhor representa o signo de Touro é a habilidade de produzir o que quer que seja, principalmente se for para trazer mais conforto, estabilidade ou qualquer coisa que tenha a ver com o prazer. Eles são bons ferreiros, no sentido simbólico da palavra. Conte com um taurino se precisar trocar um cano em casa. Caso ele não saiba fazer, certamente vai encontrar um profissional no seu caderninho de endereços, dos mais caros aos mais baratos, mas sempre os mais eficientes encanadores que você já conheceu.

Isso me faz lembrar da Sonia Ribeiro, minha amiga de anos e anos que suou tentando me ensinar a falar outras línguas. Temos em comum o amor por cães, gatos e agregados. Quando sua cocker spaniel morreu, com quase 20 anos de idade, resolvi dar de presente para a Soninha o Theo, um gato. Foi seu primeiro felino, ela nunca havia tido um antes. Bom, de lá para cá, alguns gatos já partiram e muitos outros chegaram. Bichos à parte, a Soninha é aquela amiga que tem esse famoso caderno de endereços, o mais completo que já conheci na vida. Ela, com seu caderninho, já me tirou de muitos, mas muitos, apertos. É dela uma história que revela o grande poder de materialização do signo quando se trata da força do desejo. Vejam só: "Minha mãe morreu quando eu tinha 13 anos, e, depois de nos mudarmos de Brasília para o Rio de Janeiro — eu, meu pai e dois irmãos —, fiquei responsável pela administração do dinheiro da casa e com a tarefa de cuidar da família. A essa altura, com uns 15 ou 16 anos, me lembro de um dia estar sentada no quarto do meu pai lendo uma revista *Manchete* que tinha uma matéria sobre pessoas que estudavam fora do país, especificamente em escolas na Suíça, e fiquei maravilhada. Fechei. Aquilo não era para mim. Imagine você, uma escola na Suíça! Passaram-se anos e, um dia, eu acordei cedo, me preparando para tomar meu café na varanda da minha casa. Era início da primavera, já não havia mais neve e a varanda dava para uma montanha que, lá no topo, tinha uma igreja medieval, embaixo tinha uma plantação de morangos, algumas cerejas e uma vaca com aquele sino no pescoço a distância. Preparei aquele meu café bom, fresquinho, gostoso, sentei para admirar a paisagem, que é inesquecível, e, de repente... sentou em cima de mim a Sonia da adolescência com uma revista *Manchete* na mão, admirando a ideia de estudar numa escola na Suíça. Foi como se eu tivesse recebido um raio. Eu estava na Suíça, estudando numa escola suíça, com tudo pago com o esforço do meu trabalho e, obviamente, com a ajuda da minha família. Me dei conta de que aquilo foi acontecendo sem que eu me lembrasse daquela história lá atrás. Essa materialização é um tanto quanto encantada, mas, na verdade, foi uma sequência de trabalho, muito firme, muito dedicado, porque a gente trabalha, porque trabalho é trabalho e tem que trabalhar".

A Pat também me ajudou a resolver muitos problemas domésticos. A sua mãozinha de ferreira divina trocava um quadro de lugar e magicamente todo o resto se encaixava. Fizemos muitas compras juntas ao longo desta jornada, o que algumas vezes gerou um rombo no orçamento de ambas. Vi a Pat arrumando a casa de muita gente, mas, principalmente, aquelas em que ela morou. "Ao longo da minha vida, eu produzi milhares de vezes, fui numa loja comprar geladeira, máquina de lavar, fogão etc para montar casas, montar estruturas. Eu faço isso com facilidade e, como eu já fiz muito, não tem mais aquela tensão de comprar 'a' geladeira. É uma geladeira boa, e ponto. Apesar de ser muito prática, as casas ficam muito legais. Pode ser um hotel, um barco, uma fazenda,

uma casa de campo, um apartamento. Acontece que eu fiz isso por muitos anos para os outros. Só na minha fase adulta mais madura, pra não dizer velha, eu comecei a fazer pra mim. Então eu acho que, nesse sentido, tinha uma coisa meio mal resolvida. Eu fazia muito para os outros e depois, quando o casamento acabava, ficava aquela estrutura maravilhosa para os outros. Eu não carregava nada daquilo comigo".

Lá nos idos de 1980, reuníamos alguns amigos e, toda quinta-feira à noite, nos encontrávamos para estudar. Os assuntos eram invariavelmente esotéricos. A Pat fazia parte do grupo. Uma vez, ela chegou muito cedo a casa onde aconteciam as reuniões. E lá ficou ela, esperando nossa amiga chegar. Olhando daqui, olhando dali, Pat foi observando que a sala era muito grande, os móveis ficavam todos espalhados, de tal forma que para uma pessoa conversar com a outra tinha que berrar. "E aquilo foi me dando uma aflição, uma aflição... e eu fui aos pouquinhos chegando uma cadeira pra cá, outra pra lá, e, quando eu vi, estava empurrando sofá, empurrando mesa, rearrumando tudo. Quando ela chegou, eu tinha mudado toda a disposição da sala. E, pelo que eu soube, a casa continua até hoje com aquela arrumação que eu fiz. Eu me sinto igual àquelas pessoas que não suportam ver um quadro torto na parede". Ela pode estar no lugar mais formal do mundo e vai lá tentar consertar o quadro. É uma escrava da estética. "Essa é a sensação que eu tenho com a casa desarrumada", a Pat conta. "Já fiz isso também em um quarto de hotel que era muito mal transado; mudei a arrumação enquanto me hospedei lá. Aí o Jorge Fernando, diretor do espetáculo que estávamos fazendo por lá, foi ao meu quarto e disse: 'Ficou muito melhor! Faz no meu também?'. Aí eu fui lá arrumar o dele."

Um aspecto que fica bem claro na personalidade das minhas duas amigas, e que é característica de um bom taurino artesão, é a praticidade. Sim, os taurinos são muito práticos. Tudo deve funcionar, ainda que a estética seja fundamental. Quando as coisas funcionam bem, eles também se sentem bem, se sentem confortáveis. Não existir ameaça à sua estabilidade e conforto é fundamental para que possam seguir produzindo nos seus vulcões, aquecidos por seus desejos ardentes, assim como a Soninha produziu a oportunidade de contemplar a bovina de sino no pescoço num lugar deslumbrante da Suíça.

Filhos de Vênus: amantes da beleza e do prazer

Como prometi anteriormente, vamos falar agora das joias produzidas pelo divino artesão e ferreiro, e, para isso, temos que levar em consideração o fato de o signo de Touro ser regido — ou seja, ele vibra na mesma frequência de um determinado planeta, por isso são parecidos — por Vênus, que, na mitologia, é a deusa do amor, da beleza e da arte. Na Astrologia, há dois tipos de interpretação do temperamento da deusa: a que se associa aos taurinos, pela força dos prazeres sensuais, e a que está ligada aos librianos, que trata da harmonia, do equilíbrio e do amor ao belo. Esta será vista mais à frente, no capítulo que fala do signo da Balança.

Ser taurino é, no mínimo, apreciar as boas coisas da vida. É o tipo que ama cama, mesa e banho, com todos os seus desdobramentos e possibilidades. A beleza para um taurino não precisa necessariamente ser uma beleza luxuosa, cara, daquelas que você precisa carregar um caminhão de dinheiro para comprar. Tem que ser bonita e confortável. Essa coisa de vestir algo que é deslumbrante, mas que dá a sensação de salto fino descendo ladeira de paralelepípedos, não é para o nosso ferreiro zodiacal. Nesse sentido, a Pat é mestra em associar prazer e beleza. Como minha amiga-irmã diz: "Uma coisa muito legal que eu acho do Touro é tornar belo o lugar onde você está, o que você está

fazendo, seja um trabalho, seja sua casa, seja você mesma. É ter uma estética e gostar de um ambiente bonito. Acho que, se eu morar numa cela, eu vou tentar fazer a cela ficar o mais confortável possível. Eu gosto de cozinhar, amo o conforto. Eu nunca gostei de acampar, sabe assim? Nunca gostei de hotel ruim. Eu não preciso necessariamente de luxo, mas de charme, de estética, de beleza. Às vezes, existem lugares que têm luxo e são feios. Acho que é por aí".

Isso me lembra aquela música da Rita Lee: "Não quero luxo nem lixo, quero saúde pra gozar no final".

Por falar em comer, Touro rege a garganta, que tanto tem a ver com a voz quanto com o lugar de passagem do alimento para o interior do nosso corpo. Não é por acaso que esses três amigos — Guga, Pat e Soninha — são fissurados numa cozinha. E como sabem cozinhar! Meu pai! Meu paladar que o diga.

O Guga tem uma história engraçada sobre coisas da cozinha e da teimosia taurinas. Como comentei *en passant,* a famigerada teimosia dos nossos bovinos astrológicos é a mais pura verdade, mas ela nem sempre precisa ter aspecto exclusivamente negativo. Sim, a teimosia pode ser exercida como uma perseverança que alcança excelentes resultados. É o caso da história vivida pelo meu amigo que fica atrás das câmeras produzindo beleza com seu olhar estético. "Eu estava em Bangkok rodando um documentário de que era o diretor de fotografia e fomos nos encontrar com umas crianças de um orfanato. Íamos filmá-las cantando e seguiríamos o trabalho num parque que tem umas cachoeiras, um lugar bem, bem bacana. Feita a primeira filmagem, entramos no caminhãozinho deles — éramos umas dez crianças, o diretor e eu — e, no meio do caminho, paramos para almoçar numa birosquinha de beira de estrada, um lugar bem chinfrim. A comida ficava num monte de potes de plástico, você pagava por refeição e montava o seu prato. Eu fiquei cheio de dedos para escolher porque, ao meu ver, tinha um monte de coisa que eu não comia. Sou vegetariano, e tinha muita coisa esquisita ali que eu não conhecia. Fiz um prato mais ou menos, mas estava gostando. O.k., desapego! Aí eu comecei a ver as crianças comendo. Sabendo que essas crianças eram veganas, eu virei pro diretor e perguntei: 'Essas crianças são mesmo veganas? Olha ali, cara, aquela ali tá comendo lombinho, aquela outra tá comendo bife, a outra ainda comendo peixe'. 'Elas são, sim. Esse é um lugar vegano', ele falou. 'Olha só, entendo de cozinha! Olha pra comida dessas pessoas e me diz que aquilo ali é vegano'. Aí ele se convenceu, ficou boladíssimo, ficou preocupado de estar sendo enganado, alguma coisa assim, e foi perguntar para as crianças e para os responsáveis o que era aquilo. E aí as crianças falaram: 'Nós somos veganos, tudo aqui é vegano'. Aí, eu, que estava todo reticente com a comida porque achei que tinha porco e essas coisas, já quase no final do nosso tempo de almoço, montei um prato gigantesco e essa foi uma das comidas mais incríveis que já comi na minha vida! Até hoje eu fico pensando que quero voltar para a Tailândia para aprender a fazer aquele negócio. Já experimentei um monte de coisas, já fui a um monte de restaurantes e nada se compara à experiência divina e gastronômica que eu tive comendo naquela birosquinha de beira de estrada à qual tenho medo de nunca mais voltar".

Nessa história há, além da teimosia e da persistência taurinas, a desconfiança típica das pessoas desse signo. Com as quatro patas no chão, firmes para segurar a massa toda do seu corpo, um taurino que se preze não sai acreditando na primeira coisa que vê, nem na primeira que lhe dizem. Tudo deve ser comprovado, tim-tim por tim-tim. Depois de se assegurar de que está diante da realidade, aquilo passa a ser quase uma religião.

Ainda falando dos prazeres da mesa, o Gui me disse o seguinte: "Pode parecer lugar-comum, mas me identifico muito com a famosa relação dos taurinos com comida. Eu sempre

'guardo' para o final, por exemplo, o pedaço de pizza mais recheado. E não gosto quando metem o garfo no meu prato! Pode até parecer feio falando assim, mas não tem a ver com mesquinharia ou egoísmo: se a pessoa quiser, eu faço dois pratos ou compro dois doces e cada um fica com o seu. Mas não venha garfando o meu, não".

Para completar o menu de prazeres do cardápio taurino, a deusa do amor não deixaria de presentear os nativos desse signo com a capacidade de amar e de se relacionar. O amor, os amigos, os encontros regados à boa bebida, ótima comida e um delicioso e ardoroso sexo faz dos taurinos talvez um dos mais generosos signos do Zodíaco no que diz respeito a nutrir quem amam. Digo nutrir não somente pelo alimento físico, mas também afetivo, emocional ou espiritual.

A Pat diz a mesma coisa: "Adoro cozinhar, adoro comer, gosto de dinheiro, gosto de sexo e gosto muito de amigos. Eu não gosto de eventos, festas, de uma relação superficial. Eu gosto de intimidade, de humor, de receber, de oferecer bebida, comida, e me dou conta de que sempre tive isso a minha vida inteira. Meus pais tiveram sete filhas e, desde pequenas, tínhamos aquela mesa enorme e mais os agregados que iam chegando. E minha vida continuou assim, essa coisa da mesa enorme, cheia de gente comendo, bebendo, se divertindo, e eu espero que seja assim até o final, porque eu acho que a melhor coisa do mundo é comer, beber, se divertir e tudo isso com os amigos". Posso dizer, de camarote na mesa da Pat, que essa é a mais pura verdade.

A sombra de Touro: a desmedida

Certa vez, quando eu tinha lá meus 20 anos de idade, minha turma de hippies e eu fomos acampar na fazenda do pai de um dos meninos. Nosso objetivo era catar cogumelos e viajar, viajar. Sabíamos que lá havia gado, e, onde eles comem e obram, crescem cogumelos. Assim que chegamos, avistamos um touro com uma argola pendurada no nariz. Fomos logo perguntando ao capataz se era um touro bravo. "Se não mexerem com ele, podem ficar tranquilos. Vai continuar pastando". Bem, tudo ia acontecendo muito direitinho, barracas montadas, todos a postos para procurar o nosso barato, até que um dos moleques resolveu pegar uma camiseta vermelha e instigar o bichão. É claro que ele não imaginava que tal brincadeira iria se transformar quase numa tragédia. E não é que o touro abriu as narinas, raspou o chão e partiu para cima do meu amigo? Saímos todos da linha de fogo, eu subi na primeira árvore que encontrei e o bicho jogou o garoto contra uma árvore. O chifre entrou nas costas do menino, e por sorte parou a poucos centímetros da coluna. Foi direto para o hospital. Voltou enfaixado e ficou de molho. Nada de viagem de cogumelo para ele.

A luz irradiada pela energia taurina produz sombra nas qualidades do signo de Escorpião, seu oposto e complementar. Os chamados defeitos de um signo nada mais são do que a dificuldade de acessar a potência do seu oposto, e, quando tal força se encontra na sombra, ou seja, se a pessoa não tomou consciência ainda do que lhe falta, aparecem reações irreconhecíveis e incontroláveis. No caso do signo de Touro, a sombra de Escorpião é a desmedida e a agressividade. Esse foi o caso do nosso touro pacífico no pasto de cogumelos.

A função de nutrir e fertilizar a matéria leva o taurino ao hábito de acumular. Acumular tudo, desde cacarecos até sentimentos e mágoas. Como Escorpião fala da finitude das coisas, ou seja, das perdas e da morte, esses são assuntos sombrios para o nosso pacífico e produtivo artesão zodiacal. E, quanto mais acumular, mais coisas ele terá para perder.

Costumo dizer que os taurinos engolem muitas coisas que não desejam para não perder aquilo ou quem eles amam. Esse acúmulo de energia engasgada na goela sem dúvida vai acabar em explosão. Aquele nosso bovino pacífico, ruminando no pasto da estabilidade, perde o controle, e as sombras do animal peçonhento surgem de forma totalmente irracional. Nessa hora, ele não enxerga mais nada e parte para cima. O excesso de apego e de segurança do taurino é decorrente da falta de consciência das forças do signo de Escorpião. Em consequência, o taurino pode empurrar com a barriga por anos a fio uma situação que de confortável já não tem mais nada. É puro medo de perder, de mudar e de começar tudo de novo — coisa que pode deixar um escorpiano se sentindo um pinto no lixo.

"Acho que os pontos negativos do Touro são a ambição um pouco desmedida, um apego à matéria, uma dificuldade de se locomover, de mudar, de soltar e o excesso", diz a Pat. "O excesso é um perigo! Excesso de comida, excesso de quilos, excesso de dinheiro, excesso de sexo, excesso de conforto, excesso de tudo. Ele tem um corpo grandão, duro. E tem ainda a teimosia, que eu acho que eu não possuo muito, mas eu vejo nos taurinos uma coisa teimosa. O que acho complicadinho para mim, principalmente quando eu era mais jovem e não tinha ainda desenvolvido um autoconhecimento, é a falta de agilidade de perceber que eu não estou mais gostando daquela situação, que ela acabou, que é hora de sair fora. Então, com essa falta de desenvoltura, eu olho para trás e sinto o quanto tudo foi muito demorado. Sabe casamento? Foi bom durante três anos, mas eu fiquei casada seis. Três anos pensando 'como vou sair desse casamento?'. Demora para a ficha cair e aceitar que você deve sair da zona de conforto. Acho que aí talvez seja o maior pecado do Touro: se agarrar à zona de conforto. Mas, como a vida não é confortável, a gente é obrigada a sair da comodidade." Posso afirmar pelo meu convívio com a Pat, essa taurina arretada, doce, muito doce, que ela conseguiu equilibrar suas energias iluminando a sombra que seu eficiente artesão projeta no intenso, profundo e denso signo de Escorpião.

Os taurinos da minha família: John e Clarice

Os taurinos carregam o estigma de serem possessivos e apegados. O.k. Não é estranho associar essas tendências ao animal mais massudo do Zodíaco. Afinal, ele simboliza a materialidade, o acúmulo, a estabilidade e a segurança. É desse ponto que parto para falar da minha história com um inglês, muito inglês, criado na Nova Zelândia. Um taurino. Com todas as letras. Um taurino de carteirinha. Meu avô. Está certo que avô é aquela pessoa que faz concessões e acolhe os netos quando a coisa pega em casa. Isso já configuraria uma boa imagem do que é o clima do signo de Touro. Mas esse meu avô, além de ter o Sol nesse signo, também tinha a Lua em Touro. Aí não tem desculpa.

Para além das coisas típicas de avô, não dá para negar a ternura desse Touro forte. Criado à beira-mar, na natureza, tinha duas paixões: o piano e o boxe. Vamos às associações! Touro é um signo que, além da sua bela massa corporal, é regido por Vênus, planeta associado ao amor, à beleza e à arte. No piano, meu avô flertava com a deusa mais bela do Olimpo. No boxe, dava vazão à força física do animal dócil, mas que, quando contrariado ou ameaçado na sua segurança, abre as narinas, bufa e parte pra cima. Dou graças aos céus pela prática do esporte que me poupou de um avô emburrado e agressivo. A memória que guardo daquele inglês que, ao voltar dos mares da Oceania para a ilha da rainha, atravessou o deserto, visitou pirâmides e andou de camelo, é de doçura e de pura resistência pacífica.

Um aparte: não herdei essa habilidade do meu avô. Com meu ascendente em Touro, se me sentir ameaçada, raspo o chão com as patas, abro as narinas e só Deus sabe quando consigo parar. Para minha sorte, não acontece todo dia. Só de vez em quando. Voltando a falar sobre apego, me dá vontade de rir muito quando me lembro do apego do meu avô por alguns objetos que habitaram o cenário da minha infância e adolescência. A começar por um relógio, aquele tipo que badala a cada meia hora. Era uma das suas maiores paixões, depois da paixão pela minha avó, é claro, uma arretada ariana com Lua em Escorpião. Ui! Toda manhã, religiosamente, durante toda a sua vida, ele acertava os ponteiros ouvindo a hora certa no rádio. E toda manhã, religiosamente, ele dava corda no famigerado relógio. O outro apego do avô taurino turbinado era por uma calça jeans e por um tênis Conga, marca que tatuou o modo de vestir de toda uma geração. Era de dar gosto ver a elegância daquele touro magro — ele sempre foi magérrimo, contrariando a lenda de que os taurinos são obesos ou comilões — vestido na simplicidade com que combinava o jeans e os tênis. Aprendi com ele que a saúde se mantém se a gente sair da mesa querendo comer mais um pouquinho! Taurino sábio. Eu tento, juro que tento. Nem sempre dá certo.

Mas e o amor? Não é Vênus a deusa dos taurinos? Pois então. Aos trinta anos, vindo ao Brasil apenas para fechar um negócio na rua do Ouvidor, na cidade do Rio de Janeiro, e depois voltar para a fria e sisuda Londres, se apaixonou pela minha avó, mulher de temperamento quente, dominadora e absurdamente generosa. E por aqui ficou, sempre com ela ao seu lado, até completar seu ciclo de vida, aos 85 anos. O amor entre eles teve direito a todas as turbulências típicas da deusa que arrebatava os corações de humanos e deuses. Mas, como um taurino que faz jus ao signo, manteve um relacionamento de amor e superações. Um detalhe: minha avó partiu para a vida além desta um mês após a partida do meu avô. Sei que ela absorveu o Touro que lhe faltava e que ele foi capaz de, pacientemente, lhe ensinar.

Para finalizar, falando de avós, sou avó de uma moleca — e põe moleca nisso — que veio ao mundo contemplada com a Lua no signo de Touro. Minha filha, comentando um dia sobre o grude de Clarice com ela, a chamou de "apegadinha da Estrela". E salve a força do animal que precisa sentir as quatro patas firmes no chão. Caso contrário... pânico geral!

GÊMEOS

SOMBRA EM SAGITÁRIO

DESENVOLVER

Foco
Metas
Objetividade

LUZ EM GÊMEOS

QUALIDADES

Comunicação
Adaptação
Curiosidade

IRMÃOS

Este signo é representado por dois irmãos gêmeos, mas não são dois gêmeos quaisquer. Na mitologia grega, uma das versões da história que conta como os tais gêmeos foram constelados no céu começa com o assédio de Zeus, o todo-poderoso, sobre Dona Leda, mulher do rei da Lacedemônia, já grávida de um casal de mortais. A fim de realizar seu desejo, o deus se metamorfoseou num cisne e ela, acariciando a ave que se aninhara nos seus braços, não percebeu que tinha sido possuída. Passados nove meses, Leda pôs dois ovos, cada um com um casal de gêmeos. Castor e Clitemnestra eram os filhos mortais de Leda com o rei, e Pólux e Helena, filhos do encontro com Zeus, os imortais.

A história prossegue falando sobre a amizade que tornou Castor e Pólux inseparáveis. Para onde um ia, o outro ia atrás. Acontece que os gêmeos, durante a cerimônia de casamento dos seus primos, resolveram raptar as noivas, dando início a uma batalha fatal: Castor morreu. Pólux, desesperado, pediu de joelhos a seu pai, Zeus, que devolvesse a vida do seu irmão. Então, o todo-poderoso, comovido com o sofrimento do filho imortal, decidiu que, não podendo atender integralmente ao seu pedido, dividiria a imortalidade de Pólux com o irmão dele, de maneira que

os dois viveriam e morreriam alternadamente. Assim, cada um dos dois passava um tempo com os imortais. Mais tarde, foram transportados para o mundo dos astros, onde formam a Constelação de Gêmeos.

Tudo começa por aí! Amigos inseparáveis! Essa é a primeira qualidade dos geminianos, e derruba de cara a injusta afirmação de que não se pode confiar neles, que são duas caras, blá-blá-blá. É impressionante como os símbolos são distorcidos pela cabeça neurótica dos humanos. Como pode a figura de dois irmãos gêmeos induzir as pessoas a logo fazer uma ligação com a falsidade? Por favor, me poupe! É evidente que existe irmão que não se dá com irmão, mas, no caso dos nossos gêmeos astrológicos, o mito relata que eles desenvolveram uma amizade tão grande que não podiam viver separados. Até mesmo quando Zeus alternou a vida e a morte de cada um, eles matavam a saudade dos tempos em que viviam grudados no momento em que um subia ao Olimpo e o outro descia aos infernos.

O troca-troca dos gêmeos me inspirou para compreender que ser geminiano é como trocar figurinhas: tem que ter o mesmo álbum, mas figurinha repetida não completa álbum de ninguém. Pois é assim que eu sinto as pessoas desse signo. A característica em comum entre eles e seus colegas de troca-troca é a curiosidade de partilhar as novidades que têm para contar.

A outra condição é que não tenham o mesmo assunto para discutir. Espelho não é a praia de um bom geminiano. Castor e Pólux não eram a cara um do outro, não eram gêmeos idênticos. A mortalidade e a divindade diferenciavam um do outro.

Mais geminiana impossível, Gilda Midani não poderia ter adentrado minha vida de outra forma se não por meio de sua "irmã" Patricya Travassos. Herdei da Pat a amizade com a Gilda, que já dura muitas décadas. A Gilda é a que melhor me veste. Chique, despojada, linda, amorosa, me chama de Crau — outra influência da Pat. É assim que ela começa a falar sobre ser geminiana: "Curiosidade, talvez essa seja a maior virtude do geminiano. Curiosidade inesgotável, porque, se precisar, a vida começa outra vez. Você pode sempre ressignificar tudo e todos". Por outro lado, coisas de uma cabeça que não para, ela diz que talvez o geminiano seja o que mais precisa meditar. "Ele fica muito melhor quando esvazia a cabeça". Concordo sem tirar nem pôr.

Continuando, antes de entrar no assunto da comunicação — coisa que vou fazer um pouco mais à frente —, quero deixar claro que a habilidade para efetuar trocas passa, também, pelas capacidades mentais.

A Gilda tem um jeito engraçado de lidar com elas: "Meu pensamento é às vezes tão geométrico! Acho que a única maneira pela qual consigo dar conta de raciocínios é fazendo geometria: esse é maior do que aquele, esse converge com aquele outro, esse se sobrepõe, e aí isso me dá uma certa calma. Eu desenho permanentemente, poderia ser uma bela ilustração. Mostro aqui centenas, milhares de triângulos conectados! Quando estou melhor (Melhor de quê? Da cabeça? Inspirada? Calma?), essa massa triangular começa a espelhar raios para todos os lados".

Voltando às trocas, a coisa que mais me impressiona na convivência com os geminianos é o fato de eles dizerem: "Senta aqui, agora é sua vez, eu já descansei", ou "Quer trocar de lugar comigo? Acho que você fica melhor aqui do que eu". E isso acontece com qualquer pessoa. Não precisa ser amigo, irmão, namorado ou parente. Basta o geminiano sentir que pode oferecer alguma coisa que ele tem, e da qual o outro está precisando mais, que lá vai a nossa dupla zodiacal fazer o que mais sabe: passar o bastão.

Salvo minha mãe e minha neta Clarice, Beth Levacov talvez seja a geminiana mais geminiana com quem já convivi. Assim como aconteceu com meu encontro com a Gilda, quando conheci a Beth, ela era grudada na Mônica, uma amiga em comum — eu

poderia dizer que eram quase irmãs. As duas viviam coladas uma na outra. A Beth e eu grudamos também e assim ficamos até os pulmões da minha amiga-irmã precisarem respirar novos ares. E aí, ela se foi para a Índia.

Ainda moleca, a Beth não era de ficar parada muito tempo no mesmo lugar. "Eu mudei muito de escola e sempre gostei disso. A princípio ficava um pouco tímida, mas o bom mesmo era aquela excitação de conquistar as pessoas, de aos poucos perceber que eu conhecia todo mundo da turma e que eu me dava com todas as turmas dentro das turmas. Eu era amiga do pessoal careta do mesmo modo que era amiga dos malucos. Eu sempre andei em turmas diferentes e me sentia bem em todas elas. Muitas vezes eu era questionada, 'puxa, como é que você se dá com tal pessoa?'. 'Mas ela é muito legal, eu gosto', eu dizia. Eu procuro ver as coisas legais que cada um pode me dar e o que de legal eu também posso oferecer para essa pessoa".

Quanto a viver como Castor e Pólux, um tendo o que o outro não tem, a Beth diz que nunca espera que a pessoa vá ser completa para ela. "Uma vai ser aquela amiga para quem eu vou ligar e vou poder desabafar, a outra vai ser aquela amiga que eu vou chamar para ir ao cinema comigo e que a gente vai falar sobre o filme depois. Eu não fico cobrando, eu aceito as pessoas como elas são, e me comove muito quando eu me sinto aceita também".

Andorinhas

Aquela coreografia que as andorinhas fazem voando, e a agilidade de mudar o desenho sem desgrudar uma da outra, de vez em quando me faz lembrar de Mercúrio, regente do signo de Gêmeos e dos geminianos. Um pouco mais adiante, falarei do mito do deus que usa um capacete e veste sandálias, ambos com asas. Voltando aos pássaros, além de ser um espetáculo que sempre chama a atenção quando elas aparecem dançando no céu, as andorinhas abandonam os lugares frios no inverno, para conseguir uma comidinha farta, e caem em debandada, migrando para locais mais amenos. No final do inverno, elas voltam em bandos barulhentos à sua terra natal. Observando esse fato, definitivamente passei a chamar os geminianos de andorinhas zodiacais.

Um geminiano de verdade some de vez em quando, mas não some pra sempre. Assim como desaparece, ele aparece de novo, cheio de notícias recém-saídas do forno para contar. Ele gosta, isso sim, de novidades, de migrar para outras searas, de conversar com outras pessoas. Aquele papo de ouvir a mesma história tem tempo limitado para um geminiano. E o prazo de validade é curto, muito curto.

O signo de Gêmeos rege os pulmões, além de reger também braços e mãos. O geminiano precisa de ar para respirar, necessita se sentir livre para ir e vir. Quando, por um motivo alheio à sua vontade, precisa permanecer muito tempo trancado num lugar, a tolerância típica do nativo de Gêmeos vai para o espaço. Surge aí uma criatura tensa e, mais que tudo, mega-ansiosa. Já vejo os pezinhos alados balançando freneticamente embaixo da mesa, anunciando que ele pode perder a cabeça.

Voltando à história de não parar muito tempo no mesmo lugar e circular por outras searas, um bom geminiano vai aprendendo, absorvendo e se tornando um ser nativo dessas terras distantes. E foi assim que a Beth — na época trabalhando com moda — fez uma rápida passagem por Paris e foi parar na terra de Buda. “Eu estava indo para Paris ver os desfiles de moda e ficar na casa da Isabel quando meu filho Alan colocou na cabeça que nós tínhamos que ir para a Índia porque lá tinha um mestre e nós deveríamos conhecê-lo. A princípio eu fui porque achei uma passagem barata. Eu ia deixá-lo lá e voltar para encontrar a

Isabel de novo. Acabei ficando três meses, desmarquei trabalhos importantes, deixei minha filha Thamy com o pai, esqueci tudo e fui viver isso. Quando voltei, parei de trabalhar com produção de fotos de moda e fui fazer produção de grupos de terapia. Fui morar no alto de uma montanha, casei com um terapeuta, vivi mil loucuras de trabalhos corporais e de meditações, e depois larguei tudo de novo. Voltei novamente a trabalhar com moda. Me senti vivendo totalmente essa minha possibilidade de ser feliz e de me sentir bem em lugares diferentes e com pessoas diferentes." E depois dizem que os geminianos são superficiais — quando as pessoas dizem *superficiais,* esta palavra vem carregada de um arzinho de ironia. No fundo, no fundo, estão querendo dizer *fútil*, o que, definitivamente, um geminiano não é. Por que a profundidade é compreendida como algo melhor do que a superfície? Me parece que a profundidade acaba no fundo do buraco, enquanto a superfície se perde na infinidade da sua amplitude.

Mesmo depois de experimentar uma milhão de coisas, cansado de tanta novidade, o geminiano volta ao lugar de partida; e ele nunca volta igual. Mudar é com ele mesmo. A coisa aperta quando ele percebe que está patinando e não sai do lugar. Ser de Gêmeos é ser múltiplo, e isso significa ser adaptável. Eis o seu dom maior. Olha só que maravilha: a pessoa casa com um músico, aprende a tocar violão; casa com um chef, aprende a cozinhar.

É evidente que, com tantos interesses, com tanta curiosidade, o prazer de um geminiano não é se aprofundar. Mas pode ter certeza de que existem geminianos que se concentram num interesse e que seguem sem se dispersar dele. Estes vão certamente querer abrir várias janelas para ampliar seu conhecimento e acabarão chegando a outros lugares tão ou mais interessantes do que os que eles já conhecem. Sinto muito: mais uma vez, é na amplitude que um geminiano se sai melhor, e não na profundidade. Isso não quer dizer que nossa andorinha não se disperse. Se ficarmos bem atentos à dança das criaturinhas voadoras no céu, sempre tem algumas que saem da linha, que dão uma escapada do desenho. "Não dá pra ser sempre tudo direitinho, simétrico e impecável", diria um bom geminiano. "Mas sem estresse: pode deixar que eu dou um jeito". E dá. Rapidinho, a andorinha desgarrada acelera o voo e toma jeito junto às suas colegas.

Um geminiano sempre carrega seu canivete mágico de soluções para resolver qualquer tipo de roubada que vier e encontrar pela frente. "Pra tudo tem jeito, menos para a morte", talvez este seja o hino dos Gêmeos zodiacais.

Filhos de Mercúrio: comunicadores

Por ter uma energia que vibra na mesma frequência que o signo de Gêmeos, o planeta Mercúrio recebeu a honra de ser o seu regente. Sua historinha na mitologia grega é, no mínimo, engraçada. Conta a lenda que Mercúrio, filho de Zeus e Maia, foi enfaixado e colocado no vão de um salgueiro. Foi só a mãe dar uma saída que o moleque, descolado que era, se desamarrou das faixas e viajou em direção a terras distantes. No caminho, roubou parte do rebanho do seu irmão Apolo e amarrou um punhado de ramos no rabo dos bichinhos para apagar suas pegadas. Apolo, o deus que tudo vê, descobriu o ladrão e contou para a mãe, que não admitiu que seu rebento pudesse ter feito tal coisa. Apolo não desistiu e foi contar para o pai, que, por sua vez, interrogou o garoto. Mercúrio negou até que, pela insistência de Zeus, acabou confessando. O pai fez então o filho prometer que jamais mentiria novamente. Mercúrio prometeu, mas com a ressalva de que não prometeria dizer a verdade por inteiro. Depois de crescer, ele se tornou o mensageiro dos deuses, era intérprete e

participava dos negócios. Era o protetor dos viajantes e guardião das estradas.

Vamos ao começo da história: Mercúrio se desenfaixou quando ainda usava fraldas, habilidade de quem sabe se virar sozinho, de sair das roubadas. É o nosso santo desatador dos nós. Um bom geminiano sabe remover com habilidade as dificuldades e, em geral, não vê muita dificuldade em nada. Quanto mais puder facilitar, melhor. A bem da verdade, dificilmente ele será o primeiro a arrumar uma encrenca. As coisas que normalmente são muito complicadas para as outras pessoas, os nossos gêmeos quase sempre tiram de letra, salvo algumas exceções. E um geminiano também sabe bem lidar com exceções.

Continuando a associação com o mito, Mercúrio rouba o rebanho do irmão, apaga as pegadas e mente para o pai. Imagino que a primeira coisa que passe pela cabeça de vocês é que os geminianos são ladrões, trapaceiros e mentirosos. Ladrões, trapaceiros e mentirosos encontramos em todos os signos. Não é privilégio da nossa andorinha astrológica. Mas, então, o que significa o roubo? Mercúrio rouba parte do rebanho do irmão, assim como as crianças se apropriam inofensivamente dos brinquedos dos irmãos e dos amiguinhos. Sempre vai ter um pai ou uma mãe dizendo: "Filho, devolve a bola do colega. Ele pode te emprestar, mas você depois deve devolver". E é isso que acontece na nossa história. Neste caso, o que o pai quer dizer é que o filho não deve mentir.

Bem, chegamos finalmente à questão da comunicação. A palavra é uma faca de dois gumes. Ao mesmo tempo que explica, não explica tudo, não explica por inteiro. A palavra deixa brechas. Não se consegue dizer tudinho, exatamente como aconteceu, como estamos sentindo, como estamos percebendo.

Talvez uma das melhores explicações sobre a limitação da palavra me tenha sido dada pela Gilda: "É muita ideia! O espaço interno aqui da fonte de ideias é tão grande e o canalzinho por onde elas saem, as possibilidades de expressão, o meu domínio da linguagem é sempre tão menor, que essa é a minha grande questão. O pensamento é muito maior, é muito mais volumoso do que a expressão. Por isso, talvez a expressão sempre vai ser menor do que aquilo que está dentro. A roubada é esse pensamento que se atrapalha. Outro dia eu pensei na palavra *distrair*, de que eu não gosto muito, 'você tem que se distrair', como se distrair? Distrair é como se o que eu tenho a fazer, o que eu escolhi para fazer, tivesse de ser anulado? Aí eu tenho que me distrair? Eu não quero me distrair da vida. Então, me dei conta de que distrair pode ser visto como o contrário de trair, porque distrair pode ter o sentido de tirar toda a traição que a cabeça faz com a gente, de ficar tomando a frente dos sentidos, tomando a frente da espontaneidade, tomando a frente da verdadeira presença, da verdadeira consciência, que não tem nada a ver com a identificação que a gente faz com o pensamento". Melhor exemplo impossível para representar o Mercúrio que rouba a força da verdadeira presença! Salve, Gilda!

Ainda assim, às pessoas de Gêmeos foi dado o dom da comunicação para que possam explicar, trazer e levar as informações, enfim, trocar. Uma curiosidade: na história infantil da Branca de Neve e os Sete Anões, cada um dos anões representa a personalidade de um planeta. Dunga é Mercúrio. Imagino que vocês devam ficar curiosos para saber quem são os outros. Pois então lá vai: Zangado é Saturno, Mestre é Júpiter, Atchim é Marte, Dengoso é Vênus, Soneca é a Lua e Feliz é o Sol. Mas, voltando ao Dunga. O Dunga é mudo. O que então ele tem a ver com o planeta que está ligado ao deus da mitologia grega chamado mensageiro dos deuses, o deus da comunicação? Bem, vejamos. A função de Mercúrio é trocar os bilhetinhos e as mensagens entre os deuses e entre estes e os homens. Ninguém falou que ele fica o tempo

todo jogando conversa fora, falando com Deus e o mundo. Nem o Dunga. A cena em que ele comunica o que viu no quarto, quando a Branca de Neve acorda debaixo dos lençóis e boceja, é hilária. Com mímica, uma das mais nobres formas de comunicação, por ser uma linguagem universal, ele consegue direitinho dizer que quem estava dormindo nas caminhas era um monstro. Por isso, temos geminianos que falam pelos cotovelos e outros que são bem mais calados. Estes são os que escrevem, leem um livro atrás do outro, são ratos de biblioteca, que compõem obras espetaculares, enfim, são senhores na arte de se comunicar bem.

Minha amiga Beth é uma geminiana que fala, não sei se pelos cotovelos, mas fala. "Na verdade, eu sempre gostei de falar, falar em público, fazer teatro, perceber que as pessoas gostam de mim, que gostam do que eu estou falando. Meus filhos dizem que eu tenho a língua maior do que a boca. Não de fofoca, mas eu gosto de compartilhar, de falar. Na época em que eu era adolescente e que se prendia todo mundo na rua, eu tinha um namorado comunista que eu achava o máximo. Costumávamos sempre ir juntos ao cinema Paissandu, ele com livro de Marx debaixo do braço e eu cheia de orgulho dele. Um dia, ele me disse que não íamos poder sair porque ia distribuir panfletos. E aí eu contei pra todo mundo! Liguei pra todas as amigas, contando 'Olha só, o Paulo Cezar, que incrível...'. Cara, e logo depois nós nos encontramos e ele disse assim: 'Beth, por favor, você não comentou com ninguém o que eu te falei? É superperigoso, por favor, não fale no telefone essas coisas' —, e, cara, eu tinha contado pra meio mundo! Morri de medo, lógico que jurei de pé junto que eu não tinha falado nada e prometi a mim mesma não ficar falando as coisas, mas tenho que confessar que é muito, muito difícil pra mim". Essa é uma geminiana que tem passe livre para transitar no universo de Mercúrio e é candidata a uma vaga nos correios do Olimpo.

A sombra de Gêmeos: a obstinação

Só um geminiano sabe bem como é viver os dois lados da moeda. Uma coisa curiosa que eu soube há pouco tempo é que, no mundo das andorinhas, tanto o macho quanto a fêmea chocam os ovos e os pais se revezam na alimentação dos filhotes. Que maravilha esse mundo dual, democrático e fraterno das nossas andorinhas astrais, que sabem, mais do que ninguém, dividir o que é seu com o outro e multiplicar a potência de cada um. Mas, como tudo que tem luz também tem sombra, Gêmeos não seria, nesse caso, uma exceção.

Para começar, a dualidade do geminiano, suas dúvidas, incertezas e divisões, têm a ver com a sombra que o signo projeta no seu oposto e complementar, o signo de Sagitário, o arqueiro do Zodíaco. Sem a flecha apontada para o alto, o geminiano de fato pode se perder na infinidade de interesses, e sua curiosidade o impede de manter o foco. Eis uma cena que me vem à cabeça para exemplificar a sombra de Sagitário: imaginem um geminiano que decidiu trocar uma lâmpada queimada assim que acordou. Pois bem, no caminho em direção ao armário, onde as lâmpadas estão guardadas, o cheiro do cafezinho que vem da cozinha hipnotiza a nossa andorinha e ela voa rapidinho só para dar uma acordada, afinal, a alma ainda não entrou no corpo. No que o cafezinho fica pronto, ele recebe uma mensagem, nada de tão importante assim, mas não dá para não responder. Aí ele lembra que deixou umas roupas na máquina de lavar no dia anterior e esqueceu de estender. Lá vai novamente nossa andorinha batendo as asas em direção à área de serviço para concluir a tarefa esquecida. Bem, não preciso continuar para vocês concluírem que milhares de coisas foram feitas no decorrer do dia, mas a lâmpada... lâmpada? Óbvio que ficou para o dia seguinte.

Outra questão importante a analisar quanto à sombra de Sagitário é a divisão que um geminiano tem que enfrentar. Sua maior aflição é não saber escolher entre uma coisa e outra quando está

dividido. Pula daqui, pula dali, nunca o que está nas suas mãos é melhor do que aquilo que voa em outros céus. Quando tem um, quer o outro e, quando tem o outro, quer o primeiro. E assim vai o geminiano, trocando, trocando, trocando, até se dar conta de que a divisão é interna, e não externa. É preciso haver senso de direção e união entre as andorinhas para não se dispersarem e para garantir sua migração segura para outras terras.

Com a palavra, novamente a minha andorinha Gilda: "O geminiano é sem dúvida o mais difícil de se autodefinir, porque, obviamente, no momento em que ele olha uma coisa para se definir, ele já vai pensar em todas as outras que ele não está dizendo ou vai pensar se tem mesmo razão. Ah, essa coisa da dúvida enquanto aferidora de desejo! Reclamam demais que eu mudo muito de ideia, tipo 'Gilda, sem dúvida, a opção menos boa seria a mais eficiente porque você não perderia tanto tempo buscando a melhor'. Mas eu acho que a gente tem que ver as coisas em estado de opção e de alternativa, porque, havendo uma alternativa, você fica com um pouco mais de isenção e de equivalência na hora de fazer qualquer escolha".

Mas e quando a sombra de Sagitário surge das profundezas de um geminiano? Quando a sombra não está iluminada pela consciência, ela vem travestida de obsessão. Quem já não viu um geminiano colocar na cabeça alguma coisa e não pensar em mais nada, por mais que a vida esteja lhe oferecendo oportunidades que, quando ele está na luz e em equilíbrio, jamais poderia deixar de aproveitar? Aquela pessoa que, além de outros mais, tem o dom de escutar, fica nessa hora com tampões nos ouvidos e nada a convence do contrário, por mais irmãozinho que seja quem está tentando tirar os antolhos do cavalo sagitariano.

Um geminiano obcecado pode ser a criatura mais insuportável do universo. Toda a flexibilidade típica do signo é encoberta pelas sombras de uma fé cega, por não conseguir enxergar um palmo além do nariz. Quando ele se coloca nesse lugar, você pode esperar que, enquanto não te convencer do que acredita, o nativo de Gêmeos não vai sossegar. Ele é levado por um cavalo desgovernado, sem rédeas, impossível de ser controlado. Aí, o nosso geminiano só para quando leva um tombo, acorda e se dá conta de que precisa constituir suas metas baseado no equilíbrio entre a razão e a fé.

Compreender a questão de luz e sombra na Astrologia é fundamental para decifrar melhor aquilo que se manifesta como paradoxo. Iluminar o Sagitário significa transformar dispersão em união de forças, divisão em força conjunta para que suas metas, mesmo não direcionadas ao infinito e além, possam ser atingidas.

As geminianas da minha família: Jane e Clarice

Vim ao mundo através de uma mãe geminiana. Brincando com o simbolismo, ter uma mãe do signo de Gêmeos é ter muitas mães, uma para cada situação da vida. Ao contrário do que se poderia imaginar, para mim, uma pisciana adaptável, foi muito mais fácil administrar várias mães do que se tivesse tido uma só. Diga-se de passagem, tanto Gêmeos quanto Peixes são signos considerados mutáveis, ou seja, adaptáveis. Por aí dá para entender por que foi tão bom para mim ser educada por uma multiplicidade quase infinita de mães. Tenho uma mãe mãe, uma mãe irmã, uma mãe amiga, uma mãe tolerante, uma mãe chata, uma mãe ajuizada, uma mãe insensata e mais outras tantas que não caberia aqui enumerá-las. Evidentemente que eu gostava mais de umas do que de outras. Hoje acho que pude corresponder a quase todas. Isso só ela pode saber. Boa geminiana que é, na maioria das vezes, ela diz o que eu gostaria de ouvir. E como um geminiano sabe o que o

outro espera ouvir! Opa! Eu, sendo Peixes do jeito que sou, faço de conta que acredito.

Esse jogo entre duas pessoas que têm uma vida comum, a meu ver, é absolutamente saudável, desde que ambos saibam que é apenas um jogo e que concordem em participar. Por que devemos sempre dizer aquilo que pensamos, já que o outro nem sempre nos dá essa liberdade? Por que, então, a gente sucessivamente ouve que as pessoas de Gêmeos são, "acima de qualquer suspeita", mentirosas? Afinal, não somos todos um pouco — ou muito — mentirosos? E mais, o que é mesmo verdade? Isso tudo é bastante questionável.

Taí outra coisa que também tem associação com esse que é um signo múltiplo, ágil, inteligente, atrapalhado, disperso e, mais do que tudo, curioso: questionar sempre! Foi o que aprendi com a minha mãe geminiana. Pense, minha filha. Pense! E cá estou eu, décadas e décadas pensando. Haja neurônio para processar tantas informações às quais ela me deu acesso. Num tempo em que a escola era mais do que suficiente para dar conta da educação da galera, minha mãe me pôs para aprender piano, pintura, teatro, costura e, vejam só, datilografia! Por conta desta última aprendizagem e das aulas de piano, hoje digito com todos os dedos sem olhar para o teclado.

Bom, chega de falar de mim. Um dos fatos mais marcantes da vida da minha mãe foi que, ao completar 40 anos, ela resolveu fazer vestibular para o curso de História. Detalhe, numa universidade pública. Melhor, passou muito bem classificada, isso depois de ficar longe dos estudos desde seus 17 anos. Imagine um geminiano sem informação. Impossível! Pois ela não parou de ler durante todo esse tempo. Bem, voltando à faculdade, não satisfeita em se formar em História, fez um novo vestibular para Biblioteconomia. Novamente passou e, quando se formou, foi trabalhar na biblioteca da universidade. Conto isso para ilustrar a tal dualidade geminiana e como ela funciona quando a pessoa desse signo não nega sua multiplicidade de interesses e, em vez de ser medicada contra a falta de concentração, faz da vida, mesmo que de um jeito atrapalhado — ninguém é infalível —, uma boa história para ser contada. Uma história sem repetições. Uma história de muitos encontros, muitos amores, muito tudo, multitudo. Uma história de muitos capítulos em que cada capítulo encerra uma história em si mesmo.

Para completar meu aprendizado na matéria de multiplicidade de humores e talentos, fui contemplada pela minha filha Mel com uma neta geminiana. Clarice, uma garota "multitalento", é grudada em seu irmão, Bernardo, apesar de os dois brigarem feito cão e gato o tempo todo. Coisa de irmãos. Irmãos servem pra muita coisa, mas o grande aprendizado que eu vejo é se permitir amar e odiar, cuidar e abandonar, sem preconceitos, entendendo que todos os sentimentos são válidos e que o bem e o mal andam lado a lado. Ora aparece um, ora outro. Depois eles invertem, desaparecendo alternadamente.

CÂNCER

LUZ EM CÂNCER

QUALIDADES

Sensibilidade
Afetividade
Zelo

SOMBRA EM CAPRICÓRNIO

DESENVOLVER

Racionalidade
Confiança
Praticidade

CARANGUEJOS

Os caranguejos são criaturas que vivem tanto na terra quanto na água. Seus dois mundos se interligam. A água nos remete aos primórdios do surgimento da vida, elemento necessário para a sua existência no planeta. Por outro lado, a água está associada à esfera psíquica, aos sentimentos e à imaginação. A terra, por sua vez, tem a ver com a sobrevivência no mundo físico.

Os caranguejos astrológicos também precisam se sentir seguros nesses dois mundos, caso contrário se tornam bichinhos muito assustados. A importância do mundo físico para os cancerianos aparece, principalmente, na sua relação com a casa, com os objetos que eles herdam e com aqueles que guardam a sete chaves. E o mundo emocional transparece na sua extrema sensibilidade, na emotividade escancarada, nas emoções que estão sempre à flor da pele.

O mais incrível é que, para os cancerianos, não existe uma fronteira que demarque o limite entre o mundo físico e o emocional. Emoção e materialidade caminham juntas, talvez de ladinho, como andam os caranguejos e os siris. As coisas materiais só fazem sentido para ele se estiverem associadas a um sentimento, a uma história, a uma memória. Para um canceriano, uma agenda não é

o lugar onde ele simplesmente marca seus compromissos. Estes são diversas vezes esquecidos, deixados de lado. Ele esquece de olhar, está ligado em outro planeta. Ainda assim, é importante que ele tenha uma agenda. De preferência à moda antiga, de papel, escrita com caneta e lápis de cor. A agenda é para poder voltar lá um dia, folhear suas memórias e, debaixo das cobertas, tomando um chazinho antes de dormir, relembrar que foi naquele show que ele encontrou a pessoa que iria mudar a sua vida, ou se emocionar lembrando da solidariedade do amigo que carregou o canceriano quase desfalecido para casa porque estava de porre.

Conheci a Branca Lee, canceriana, quando ela foi fazer seu primeiro mapa astrológico comigo. Empatia de cá, simpatia de lá, nos tornamos amigas. Muito amigas. Daquelas para quem a gente conta os segredos e guarda segredos, sabe? Durante o processo de herança, a Branca ficou com todas as fotos da família, inventou uma forma de manter os quadros dos seus avós e trocou tudo o que era de dinheiro pelo que era sentimental. "Não me importo que quebre o copo mais caro do mundo, mas, quando quebra um copo que era do meu pai, parece que um pouquinho de mim foi embora ali. Minha ligação com minha hereditariedade é muito forte. Meu tio-avô percebeu isso e me nomeou guardiã do livro de histórias da família quando eu tinha 16 anos".

O universo dos nossos caranguejos astrológicos não é o mundo das coisas grandes ou das grandes coisas. Elas até podem ser grandiosas, mas só têm valor aquelas que o comovem e, mais uma vez, que tenham um significado emocional.

Mariana, casada com Charles, um canceriano, realizou o sonho do seu companheiro lhe dando de presente um Fusca daqueles bem de colecionador. Levou não sei quanto tempo procurando um que estivesse inteiraço. O Fusca foi entregue na saída de um restaurante. Quando ele pediu o carro, veio o Fusquinha, sem laço de fita, mas com aquele cheirinho típico de carro antigo. Emoção, emoção, emoção! Um dia, conversando com a Mari, perguntei como o Charles fazia quando a temperatura carioca chegava ao inferno dos 40 graus. Ele sai com o outro carro, o que tem ar-condicionado? "Não, ele abre os vidros e vai feliz, suado e orgulhoso no seu fusquinha 1968", um ano mais novo que ela.

Vejam só que interessante. O signo de Câncer rege o aparelho digestivo e as mamas. Fiquei algum tempo pensando nessa regência, porque queria ir mais fundo na relação entre a materialidade das coisas e a experiência emocional. Bem, entendi de prima que o estômago é sensível ao estado emocional. Gastrites, dor de estômago, má digestão e azia são comuns quando se está estressado, salvo se a gente detonar na alimentação, é claro! Mas, quando me aprofundei no barato da amamentação, aí eu pude fechar a ideia de que alimento é coisa que vem contagiada pelos afetos. Sabe aquela história de a gente comer alguma coisa que foi feita por alguém que estava com péssimo astral? Pois é, faz mal! Mesmo. E assim são os nossos caranguejos, em geral sensíveis na digestão, não só na do estômago, mas também na digestão da alma.

A Branca deixou para trás uma vida de escrita criativa onde ia muito bem, obrigada — sabia ser feliz em muitos momentos —, para ter um, dois e agora três restaurantes. "Fiz dos meus restaurantes um jardim para receber as pessoas, e fiz da minha vida recebê-las, alimentá-las e servi-las. É o lugar onde sou mais feliz. Converso com todo tipo de gente e ganho muitos amigos, de todas idades e cores. Queria ter mais tempo para receber mais e ter ainda mais amigos — um milhão, bem ao estilo Roberto Carlos. Mas também tem uma *persona* ali. Pouca gente vai adentrar a minha intimidade. Pra eu contar com alguém, pedir alguma coisa, então, valha-me Deus".

É aqui que entra a tal carapaça dos crustáceos, que, na verdade, têm uma variedade enorme de espécies. Diferentemente de

outros animais, eles não têm um esqueleto interno, mas uma carapaça que protege os órgãos internos dos perigos externos e que serve como sustentação.

É incrível como se fala da doçura das pessoas do signo de Câncer, de como são sensíveis, acolhedoras, afetivas e mais um monte de qualidades emocionais. Tudo isso é bem verdade, mas não num primeiro momento. Eu digo que cancerianos são que nem coco, duros por fora, moles por dentro. Salvo aqueles que me procuram para ler seus mapas — esses já me deram "autorização" para entrar na sua intimidade —, não me lembro de ter conhecido um canceriano que de pronto tenha se aberto e contado a história da sua vida. Não, eles são fechados, mas também são supereducados. A tática é a seguinte: o canceriano deixa primeiro que você se exponha para, então, sentir em que manguezal está entrando. Se não se sentir seguro, é um "adorei conhecer você, a gente se vê por aí", e, a menos que se esbarrem por acaso, não conte com um novo encontro. Mas isso também não é uma grande dor de cabeça para nenhum dos dois. Você não vai se lembrar que um dia o conheceu, e muito menos ele guardará na memória os assuntos que não lhe interessaram. E fica por isso mesmo. Agora, se os santos de vocês cruzarem... aí não tem pra ninguém! O caranguejo deixa você entrar em casa, serve chá, cafezinho, tacinha de vinho e de cara vocês se tornam amigos de infância. É como se você o conhecesse há muitas encarnações.

Se for esse o caso, e você não o procurar mais ou feri-lo por algum motivo, eis que surge o mais magoado, sentido e ressentido dos signos do Zodíaco. Ele é capaz de guardar uma mágoa por anos a fio, do mesmo modo como conserva as louças da avó. Mas tem um detalhe: os reencontros são possíveis e até desejados, desde que sejam no tempo dele, de ladinho. Como quem não quer nada, vai chegando, chegando, até que sai aquele sorriso de quem não guarda mais ressentimento algum e ele solta "ai, que saudade". Só não conte com uma abertura total de cara, como era antigamente. Ele levará algum tempo para se sentir de novo seguro. Depois de recobrada a confiança, nada melhor do que tudo voltar a ser como nos velhos tempos. Mais chazinhos, mais vinhozinhos e muita, muita história para contar sobre os tempos em que vocês ficaram afastados.

Falando em bom papo, os cancerianos sabem contar uma história melhor do que ninguém. A maioria deles se interessa por história, por saber de onde veio e de onde viemos. São os guardiões da memória e os melhores contadores de histórias que eu já conheci. Ao contrário de outras pessoas, que, sem se apegar ao passado, se atiram no mundo, confiantes no seu futuro, um canceriano sem raízes é o mais inseguro, defensivo, introvertido e instável ser deste planeta. Aí sim ele vai se emburacar dentro da sua própria casca, com pavor do desconhecido.

Além de representar a casca que protege sua sensibilidade e suas emoções, a couraça do nosso crustáceo astrológico também tem a ver com o aconchego da sua própria casa. Além de ser onde ele se protege das tempestades externas e o abrigo onde se recolhe, chora as mágoas, ouve música, come macarrão na panela, leva a comida para a cama, fica de pijama, de calcinha e de pernas para o ar, a casa é o ninho que acolhe quem ele ama, é o lugar onde moram as pessoas com quem o canceriano pode contar e onde elas podem contar com ele, independentemente das encrencas de qualquer relação íntima.

Na casa da Branca, as coisas são exatamente desse jeito. "Quando estou sozinha na minha casa, eu como no prato fundo, aquele bem de criança. Sinto um aconchego danado. Minha casa é a nave-mãe onde todo mundo já morou em algum momento da vida (o Duda veio morar por 6 meses e está há 6 anos), onde acontecem todas as festas, onde tem sempre comida e bebida. Não entendo esse povo que não tem nada na geladeira".

Devo ainda fazer uma última referência à casca dos caranguejos. Como a carapaça é dura e os bichinhos vão crescendo, chega a hora de trocar o esqueleto externo para que possam se expandir. É como trocar todas as roupas do armário da criança que não para de crescer. De tempos em tempos, os caranguejos eliminam a velha carapaça e trocam por uma nova. E assim também acontece com as pessoas de Câncer. À medida que crescem, ou, melhor dizendo, amadurecem, a velha carcaça que protege sua fragilidade deve ser eliminada para dar lugar a novos mecanismos de defesa que tenham muito mais a ver com aquilo que elas são nesse momento, colocando no baú das memórias o que essas pessoas foram no passado. Durante a "muda", o nosso crustáceo se recolhe, fica bem mais fragilizado, mas não encontra alternativa a não ser esperar até que o novo esqueleto endureça e ele possa se sentir seguro para continuar a enfrentar os predadores do mundo exterior.

"Quando eu era criança, não conseguia entender como as pessoas não tinham casa, moravam na rua. Aquilo era inexplicável e um verdadeiro pavor para mim. Eventualmente, minha mãe soltava a clássica 'assim vamos ter que morar embaixo da ponte' e eu simplesmente me desesperava. Não tinha muito medo de bronca, e de castigo, menos ainda — ficar sozinha no quarto? Fácil, entrava no meu mundo e pronto, já passou o tempo —, mas morar embaixo da ponte, ah, isso sim me assustava", diz a Branca, a mais canceriana amiga que eu tenho.

Caranguejos ermitões

E os caranguejos que não têm carapaça? Existem? Sim, e são chamados de eremitas ou ermitões. E sabem como eles se defendem? Se enfiando na casa dos outros. As conchas abandonadas por outros animais servem de abrigo para o ermitão, que sai carregando a casa que adotou para onde quer que vá.

Quem nunca conheceu aquele canceriano que vive pra lá e pra cá, que pula de casa em casa, que viaja o mundo, mas nunca falta para ele um lugar onde pousar? Pois eu conheci alguns. São os meus amigos cancerianos que têm casas espalhadas pelo mundo afora. E como são bem recebidos nessas casas, opa! Chegam de mala e cuia, uma lembrancinha daqui, uma comidinha dali, e a festa está pronta. Falando sério, a maioria das casas que abrigam o nosso caranguejo ermitão está mesmo precisando de um calorzinho humano, e a chegada deles é uma alegria só.

Claro, podemos imaginar que esse é o tipo de canceriano que costuma deixar exposta a sua fragilidade. Aquela couraça toda dura que os cancerianos mostram quando ainda não liberaram geral não existe nos caranguejos ermitões enquanto não encontram uma concha para se proteger.

Uma das maiores qualidades de todo e qualquer bom canceriano é a sensibilidade para perceber quando ele é ou não bem recebido. Se ele sentir que algum lugar não é acolhedor, sai dando passinhos para trás, corre de ladinho e vai se embrenhar em outros manguezais. Mas o crustáceo astrológico também é pra lá de sensível para reconhecer a fragilidade dos outros, seja para ajudar, seja para fazer chantagem emocional. Seja o caranguejo encarapaçado, seja o ermitão sem couraça, os dois são mestres na arte de manipular sentimentos.

Um canceriano inseguro é capaz de fazer qualquer ateu se sentir culpado, mesmo que este não tenha feito nadinha de nada. É mais ou menos como uma mãe dizer para um filho que ele pode, sim, sair e voltar na hora em que ele bem entender, mas que ela não vai pegar no sono enquanto ele não chegar. Ou esse filho se emburaca no lodo do manguezal da mãe manipuladora e aguenta dias a fio a ressaca materna, ou é ele que vai ficar ressacado pela culpa de voltar na hora em que o dia está nascendo.

Quando o nosso caranguejo se vê diante da ameaça de se separar de alguém, ele se agarra a toda a história que construíram

juntos e, com suas pinças emocionais, segura a sua presa o tanto que pode até ser forçado a largar. Mas, como já foi falado antes, a couraça vai ser trocada um dia por uma nova, e o canceriano vai compreender que viveu todos os ciclos de um relacionamento do início ao fim, sem tirar nem pôr.

Filhos da Lua: cuidadores

Conheci a Vera Cordeiro há milênios, quando nossas filhas ainda não tinham adolescido. Não tenho a menor dúvida de que foi um encontro espiritual, de muitas e muitas vidas. Canceriana e médica, a Vera se dedicou à Psicossomática na saúde pública. Entendia o corpo através dos sentimentos. Entendia os sentimentos através do corpo. Essa carangueja transita na água e na terra sem o menor pudor. Na época, seu manguezal era o Hospital da Lagoa, no Rio de Janeiro. Quando precisou trocar de casca, resolveu dar um piparote na espera por uma saúde pública decente e, bravamente, criou um projeto de assistência à saúde infantil, que é referência no Brasil e no mundo inteiro. A Vera acreditou no seu sonho.

A Lua rege o signo de Câncer, o que quer dizer que o significado simbólico do nosso satélite é uma espécie de primo-irmão das características dos cancerianos. Sabe quando se diz que fulano está no mundo da Lua? Pois o astro que fica rodando em torno da gente que nem mãe cuidando de filho sempre foi associado ao mundo dos sonhos, à sensibilidade e à imaginação. Se alguém pensa que os cancerianos são caranguejos preguiçosos, como eu já ouvi falar, a Vera é a primeira a refutar essa teoria, a mostrar que é puro caô. A questão não é fazer as coisas simplesmente pelo prazer de realizá-las. A chave que abre a porta para eles darem o primeiro passo é acreditar no próprio sonho.

Minha professora dizia que Câncer é a memória do passado e a visão do futuro. E há muito tempo, dando um depoimento para uma gravação que eu apresentaria num congresso de Astrologia, a Vera disse que, como canceriana, ela previa que, no futuro, o mapa astrológico seria anexado ao prontuário dos pacientes nos hospitais. Achei incrível essa declaração corajosa.

Mas, retomando as voltas da Lua em torno da nossa amada Terra, essa bola de matéria de luz indireta representava para os povos antigos a fertilidade. Um astro que cresce e míngua a cada mês só poderia ser associado às mulheres, que incham a barriga, trazem à luz uma criança e depois desincham. É nesse detalhe que mora a famosa associação dos cancerianos com a família e com o instinto de cuidar. Mais uma vez, cabe aqui lembrar que o signo de Câncer rege a amamentação. A mãe alimenta o filho não só com o leite que esguicha do seu peito, mas também com o olhar. Alguns cancerianos cuidam com uma mesa farta. Outros, com a fartura do seu olhar. A maioria, com a mesa e com o olhar.

"Lembro de, quando tinha 12 anos de idade, ter sido chamada de 'mãe pequena' por um dos meus irmãos. Do mesmo modo que, quando já adulta, trabalhando como médica no Hospital da Lagoa, ouvi uma adolescente que eu tratava e que estava internada me dizer: 'você é a minha mãe de rua!'. Acredito que essa foi a expressão que ela encontrou para me diferenciar da mãe natural", me contou a Vera.

Mas, se você imagina que todo canceriano é enlouquecido pela família de origem e que só é feliz se casar e tiver filhos, posso dizer que isso não é verdadeiro para alguns que eu conheci. Muitos escolhem a família que querem ter. Para eles, não é porque é pai ou mãe, irmão ou tia, filho ou avô que vão se sentir em casa. E tem canceriano que perde a família cedo, que não tem filhos biológicos, mas tem mais família do que muita gente neste mundo. É o caso da Branca: "Na falta de família, inventei a minha. Virei mãe do meu irmão, de um amigo (a mãe dele até hoje me chama de mãe número 2), fiz novos irmãos,

como o Márcio, a Helena, o Vandré e a Manu. Fiz também marido postiço, o Duda, que é mais próximo do que muito marido".

Acho que deu para perceber que canceriano gosta de cuidar, cuidar, cuidar. Além da sua sensibilidade, esse talvez seja um dos traços mais marcantes do crustáceo astrológico. Dê a ele uma só brechinha e mostre que alguma coisa não vai bem com você, e o instinto materno do canceriano dirá a que veio. Certa vez, quando a Vera era ainda muito nova, e estava num restaurante com o marido e amigos para curtir a vida e relaxar, ela acabou passando um tempo enorme às voltas com uma pessoa que estava passando por maus tempos. No fim da noite, o marido e uma amiga íntima comentaram: "Só você mesmo para ter saco de ouvir tudo que ouviu...". É que, para a Vera e para os cancerianos em geral, isso não é nenhum grande desafio. Rola sem o menor esforço.

A sombra de Câncer: a frieza

Uma pessoa do signo regido pela Lua não poderia deixar de ser cíclica. Da mesma maneira que o nosso satélite muda de fase mais ou menos quatro vezes ao mês, um canceriano varia de humor quatro vezes ao dia, quando não a cada hora. O fluxo das emoções se parece com as marés: ora enche, ora esvazia. Sua onda depende de inúmeros fatores, mas, em primeiro lugar, o que talvez mais influencie a variação dos seus humores seja o estado de espírito do seu relacionamento com as pessoas. Logo depois vem o choque da realidade dos fatos, que, na maioria das vezes, está longe de ser o que um canceriano, sensível do jeito que é, imaginou. Acordar de manhã, feliz da vida, olhando uma agenda cheia de tarefas é esperar demais de alguém que preza o quentinho de uma boa coberta, o dormir de conchinha e uma preguiça gostosa, acordando devagarinho, devagarinho. Digo mais uma vez que não há generalizações, cada canceriano é um canceriano. Nem todos detestam acordar cedo, mas o fato é que do lado oposto do signo de Câncer mora uma cabra montanhesa: o objetivo, prático e realista Capricórnio. As escarpas duras da realidade da vida, tão bem representadas pelo seu oposto e complementar, são a pedra no sapato do caranguejo. A luz que ilumina um signo projeta sombra no polo contrário, e a sombra de um canceriano é a sua dureza.

A maior fragilidade do nosso caranguejo é a carência, quase sempre insuportável para os outros que costumam ter vida própria e não acham que um relacionamento seja a chave de todos os encantos da existência. Experimente recusar o seu convite para uma noite aconchegante no sofá, filminho, pipoca ou vinhozinho. Eis que brota do além o mais frio, distante, gélido e indiferente ser nos próximos cinco dias. No fundo, no fundo, ele está magoado, rejeitado, enfurnado no lodo do seu manguezal. Quem diria que um canceriano, com toda a sua sensibilidade, afetividade e doçura, é capaz de ir para a Sibéria ou, em casos mais graves, mandar alguém para a Sibéria hibernar por um bom tempo? Pois é exatamente esse o seu jeito de reagir ao desamparo. O canceriano precisa abastecer as suas reservas de energia emocional, exauridas pela rejeição, para voltar ao estado *in natura*.

Não foi por acaso, então, que a Vera achou uma maravilha quando suas filhas casaram. Na sua fantasia, ela tinha ganhado dois filhos homens, pois, na vida real, não teve essa chance. "Acreditei que poderia compartilhar muitos sentimentos íntimos sobre tudo com eles, dizer o que me vinha à cabeça sobre diversos assuntos, a qualquer momento. Para meu espanto, percebi muitas vezes reserva por parte deles e, pior... que eu tinha ultrapassado a linha do que se espera de uma sogra. Minha filha mais velha me disse: 'Mãe, genro não é filho, não adianta insistir nesse comportamento!'. Para falar a verdade, entendi racionalmente, mas até hoje não acredito que genro não é filho! Só rindo!"

O solo estável representado pelo signo de Capricórnio deve ser construído para que o canceriano se sinta seguro. Mas, enquanto ele não estiver iluminado, ou seja, não tiver se desenvolvido, seu comportamento diante das pessoas queridas pode ser bem desastrado. Que o diga a Branca. "No amor, chega a me atrapalhar querer construir um relacionamento logo para me sentir segura e poder sair da casca. E sou dessas que cuidam, que secam o cabelo da minha amada para que ela não durma de cabelo molhado".

As escarpas de Capricórnio também simbolizam o pé firme no presente, o passo seguro do aqui e agora. O canceriano, tão sábio guardião do passado e tão hábil na intuição do futuro, precisa olhar para o chão e sentir onde pisa. O passo de hoje é o resultado do seu passado e será a garantia da realização dos seus sonhos futuros.

O canceriano da minha família: Felipe

Muitos anos atrás, andando numa daquelas praias perdidas no meio do nada, parei para olhar uma maria-farinha, aquele caranguejinho de cor meio amarelada que a gente encontra no litoral do nosso Brasil. Queria observar o bicho vivo de perto, pensando no bicho astrológico. Aqueles olhos saltados me davam a impressão de não desgrudarem de mim, prontos para anunciar o momento de cair em debandada e se salvar do perigo que aquele ser humano representava. Enquanto fiquei parada feito uma estátua, a criaturinha entrou na minha brincadeira e ficou ali, sem mexer nadinha de nada. Bastou um único movimento meu para ela correr de lado e, em segundos, se enfiou numa das centenas de buracos cavados por centenas de caranguejinhos. Esperei um bom tempo e nem sinal de a maria-farinha emburacada voltar à superfície.

Continuei meu passeio pela praia, pensando nas características do signo de Câncer. Convivi de perto com poucos cancerianos até entrar na minha vida um que trazia além do Sol em Câncer, também a Lua no signo do bicho que carrega a casa nas costas. Esse valeu por todos. Tive então a oportunidade de me enroscar nas cobertas da sensibilidade que todo canceriano carrega na sua eterna bagagem. Dizem que as pessoas do signo de Câncer são fechadas, acordam mal-humoradas, não esquecem quem as magoou e tantas outras características típicas de quem é sensível. Apesar de não se manifestarem sempre assim, tudo isso é a mais pura verdade. Não dá para ser sensível e ainda querer que sejam impassíveis, constantes e frias. Seria exigir o impossível da nossa maria-farinha. Certamente, ela não sobreviria nem cinco minutos. Se gostam da casa? Opa! Sem dúvida que gostam. Não precisa ser sempre a mesma casa. Nem o mesmo lugar. Nem mesmo o mesmo país. Mas a casa é sempre o lugar de respiro do canceriano. Também dizem que eles não gostam de aeroportos. Sim, aeroportos implicam despedidas, tumulto e vontade de fugir e se esconder na sua carapaça. É claro que nem todo canceriano odeia aeroportos. É apenas força de expressão, mera comparação.

Quando conheci o Felipe, tudo isso se confirmou. Por isso eu disse que valeu por todos aqueles com quem não tive a oportunidade de conviver de perto. Profissão? Músico. Intuitivo até o último fio dos seus dreads. Se vocês imaginam que aquela doçura típica do signo aparece no trabalho dele, podem ter certeza de que sim, mas talvez não como se poderia normalmente imaginar. Percurssionista, o som dos seus tambores invade a alma sem pedir licença, faz vibrar a caixa torácica até do mais enrijecido espécime humano, aniquilando suas defesas e abrindo uma fenda de emoção tamanha do jeito que somente um canceriano é capaz. Deu para sentir a força da sensibilidade desse animalzinho encouraçado, emburacado, que anda de ladinho, deixando marcas suaves das suas pegadas e esfarelando a areia da praia? Isso é só para começar a falar sobre as pegadas que ele deixou e que marcaram

a praia da minha existência. Lá na casa dele, quem lava a louça é o caranguejo. Rara vez é a capricorniana com quem Felipe é casado. A ela cabe a organização e a confecção do que vai alimentar o estômago e a alma da galera.

A propósito, como já visto anteriormente, Capricórnio e Câncer são signos opostos e complementares, e alimentação, tanto do corpo quanto da alma, tem a ver com nossas marias-farinhas astrológicas. Como um par complementar, dividem lá ao seu modo tanto as tarefas cancerianas, tipo casa, gatos, plantas, crias, quanto as ditas tarefas da cabra astrológica, ou seja, trabalho. Foi com esse cara, com as pequenas marias-farinhas que geraram, que a capricorniana tatuou no braço, dentro de um coração vermelho, a palavra FAMÍLIA. Com todas as letras. Foi o modo como o Felipe deixou as suas pegadas nas areias da vida dessa cabra arretada, corajosa e doce. Como o Felipe entrou na minha vida? Ele é meu genro.

LUZ EM LEÃO

QUALIDADES

Criatividade
Autoestima
Magnetismo

SOMBRA EM AQUÁRIO

DESENVOLVER

Humildade
Altruísmo
Fraternidade

LEÃO

LEÕES DA SAVANA

Na grande maioria das vezes, os leoninos são vistos como autocentrados, dominadores e radiantes. São conhecidos pela força e pelo poder de comando. Pois nada poderia representá-los melhor do que o bicho conhecido como o rei dos animais. Aquela juba, que transmite para os adversários a sensação de ser maior do que ele de fato é, eu encontro na maioria do meus amigos e pessoas com quem convivo e que são do signo de Leão. Há algo neles que aumenta sua grandeza. E isso acontece quando o leonino ocupa o palco que é seu e expõe o que é capaz, tornando-se grandioso diante dos olhos vidrados de quem o admira. Meu sentimento é o de que ele consegue dilatar sua aura de energia, emanando força para tudo e para todos que o rodeiam. Quando imagino a juba do animal transposta para os humanos do signo de Leão, vejo essa tal energia. É óbvio que todos nós, mortais, a possuímos, mas o fato de ela ser nos leoninos tão intensa, tão escancarada, tão explosiva, faz com que seja impossível não reconhecer sua presença já num primeiro olhar.

Costumo chamar esse borogodó dos leoninos de carisma, uma espécie de charme, uma característica que só eles dominam. E como dominam! Ao contrário do que se costuma ler nos textos sobre os nascidos sob o signo de Leão, não há para eles a menor necessidade de extravagâncias para mostrar sua juba. Ela é absolutamente natural. São suas expressões, seu vigor e sua intensidade que os fazem maiores e melhores do que são. Não podemos esquecer, no entanto, que seus gestos vêm acompanhados de uma boa dose de dramaticidade, às vezes, incrivelmente eficiente, outras, insuportável. Assim como os leões são soberanos no território demarcado com as suas garras, os leoninos são atores no palco demarcado com as garras da sua determinação e da sua coragem.

Certa vez, há muito tempo, um aluno me perguntou se os leoninos são bons em tudo o que fazem ou só mostram aquilo em que são bons. Acredito que ele mesmo já tivesse a resposta, mas o que eu respondi foi: aquilo que é bom neles é amplificado pelo tal borogodó, e aí não tem pra ninguém! Qualquer talento ou atitude que venham acompanhados por uma puta vontade de poder são, no mínimo, um ponto de destaque na paisagem das cores apagadas de uma vida comum.

Falando em cores apagadas, ou melhor, em encantar a realidade com uma percepção imantada pela força do olhar do felino, uma aluna leonina vivencia genuinamente sua rotina com pompa e circunstância. "Eu faço um inventário de tudo o que encontro com um olhar de possuidora, apreciando a beleza, as mudanças e novidades do tempo, do mar, das ruas, das árvores, reparando se suas folhas ficaram amarelas, se já caíram ou nasceram, se já estão floridas ou se aquelas tão lindas do Aterro do Flamengo, que só florescem uma vez na vida e morrem, ainda estão lá".

Mediocridade é pecado mortal para a maioria das pessoas que nasceram sob o signo do animal que deixa bem claro qual é o seu território.

E que o diga Viviane Pedruco, amada leonina que adentrou meu território, se apossou do meu coração e às vezes o leva para voar nos céus da sua soberania leonina. A Vivi é comandante de voo de helicópteros. Acompanhei a conquista do seu posto, o que ela fez com as garras do bicho feroz. Linda, feminina e poderosa, sabe mandar. Com a palavra, a Vivi: "Nem adianta um amigo me convidar para ir à praia mais linda do universo, virgem, de águas cristalinas e natureza esplendorosa. Pode até ser o sonho do meu melhor amigo. Se for dessas que se pega um avião, táxi, carona, barquinho, skate, lombo de burro e vai dormir na pousada da tia fulana, que é bem limpinha, aconchegante, mas só tem ventilador de teto... Sinto muito. Não rola. Eu preciso de conforto. E não tenho melindres em verbalizar isso. O lado positivo é que, quando me é interessante e está de acordo com meus padrões de conforto, eu não meço esforços para poder proporcionar isso a alguém, se a pessoa não pode".

O mais importante território leonino é sua tremenda vontade de ser e de se expressar no mundo. É preciso fazer a diferença, custe o que custar. O leonino não poupa esforços para amplificar sua potência, o que a faz ser imensamente especial. Ele costuma entrar com o corpo e a alma quando acredita em si mesmo e quando sente que sua força está sob seu controle.

Denise Costa, uma leonina, mais leonina impossível, faz parte daquelas pessoas que entraram na minha vida na época em que cheguei de mala e cuia, filha debaixo do braço, ao Rio de Janeiro. Fui morar em Vila Isabel, bairro boêmio, terra de Noel Rosa e Martinho da Vila. Meu encanto com o bairro começou quando percebi que as calçadas da Boulevard 28 de Setembro — homenagem à data em que foi assinada a Lei do Ventre Livre — eram feitas de pedras portuguesas decoradas com partituras de músicas de grandes compositores da música popular brasileira. Na época, a Denise era ainda uma moleca e foi estudar Astrologia numa casinha geminada, nos fundos de uma escola para crianças, lugar onde eu morava e dava aulas. Como ninguém é de ferro, terminada a aula, íamos para o Petisco da Vila e, baixados os chopes e os

bolinhos de bacalhau, ficávamos horas falando de signos, planetas, quadraturas, trígonos, amores, paixões, sonhos, ideais, abobrinhas e por aí vai. Muitos anos depois, já uma leoa amadurecida, o papo agora é o de quem conhece o que é ser do signo de Leão. "O que é que a baiana tem? O leonino ou a leonina, tanto faz o gênero, se acha assim uma espécie de Carmen Miranda, sabe como? Sempre prontos a balançar os balangandãs, cheios de vontade de brilhar, amar e ser amados", diz a Denise.

Por falar em amor, desde a Antiguidade o signo de Leão está relacionado com o coração. Diz-se que esse órgão é regido por Leão. Fato interessante — coisas da sincronicidade — é que, na sua origem latina, *coratium* é composto por *cor*, que significa "coração", e o sufixo *actium*, que é indicativo de ação. Pois, então, *coratiam* significava literalmente "agir com o coração", porque se acreditava que era no coração que a coragem morava. O coração também era a sede das emoções, da vontade e da inteligência. Para os romanos e outros povos da Antiguidade, a alma estava ligada ao coração, dando vida ao corpo. Tudo isso para dizer que Leão tem a ver com a força interior, e é exatamente essa força que ajuda o enfrentamento dos desafios e medos, ou seja, a coragem. Pois eu digo que os leoninos agem quase sempre com o coração, dificilmente com a mente.

Para vocês terem uma ideia da importância do amor na vida de um leonino, a Vivi diz que "viver sem um amor para sonhar é um desastre! Eu estou sempre motivada pelo amor, pela intensidade, pela entrega total. É sempre muito, não cabe no coração, extravasa".

Retomando o papo sobre os leões, estes vivem na sua grande maioria nas savanas, no descampado. O leão da savana é um tipo de leonino, aquele que precisa dos espaços abertos para ser reconhecido. E, de preferência, o território que é seu não deve ser partilhado por quem não é do seu clã, por quem não foi escolhido por ele. Dos felinos, o leão é único a se organizar em bandos, e os machos se preocupam em demarcar o território e evitar que outros leões tomem posse do bando. Os rugidos, que podem ser ouvidos a quilômetros de distância, garantem a posse do trono. E quem já não ouviu o rugido de um leonino com a intenção de afastar seus concorrentes? Pois eu ouvi vários.

Leões da montanha

E os leoninos introvertidos e solitários? Pouco se fala dessa personalidade tão frequentemente encontrada nas pessoas nascidas sob o signo de Leão. Eu, pelo menos, convivo com alguns leoninos discretos e totalmente na deles. E aí? Bom, quanto a esse tipo de leonino eu cometo a blasfêmia de associar a outro felino, que habita boa parte dos três continentes americanos, o puma, também conhecido pelo nome de leão da montanha, porque tem a pelagem bem parecida com a do seus primos africanos. Diferentemente da maioria, que habita as savanas descampadas, o leão da montanha vive sozinho em lugares de difícil acesso, como florestas e montanhas. O seu comportamento é tímido, e por isso é difícil de ser encontrado. No entanto, é tão temido tanto quanto o leão das savanas. É por aí que eu compreendo que, apesar de tímidos ou introvertidos, esses leoninos, ainda assim, são felinos.

Eu convivo há anos com um verdadeiro leão das montanhas, Euler Carvalho. Médico de incrível sensibilidade, ele fez parte de uma turma de homeopatas que, nos anos 1980, se reuniram e me convidaram para dar um curso de Astrologia para eles. Bom, o Euler ficou e, durante anos a fio, adentrou outras turmas. Quando resolve sair da sua montanha, vira e mexe ele dá pinta de novo por aqui. Ele me chama de Claudia Márcia e eu o chamo de Euler José. Não sei de onde tiramos isso, mas é o jeito de demonstrar o

carinho especial que temos um pelo outro. Num olhar mais descuidado, o Euler é aquele que fica totalmente na dele. Nem parece o que em geral as pessoas chamam de personalidade leonina. Pois é, ele é mesmo um leão da montanha e não da savana. Mas tem um fato engraçado: na época em que eu morava e dava aulas numa casa na Gávea, o Euler sempre encasquetou de sentar na escada que levava ao andar dos quartos, meu e das minhas filhas. As aulas aconteciam exatamente no horário em que as meninas chegavam em casa depois das atividades extracurriculares. Pois quando elas subiam a escada, todo mundo se voltava para cumprimentá-las e aí só dava o Euler! O que ele diz sobre isso é o seguinte: "Sinto que ser leonino é ter a sensação de que podemos ser ou fazer algo grandioso. No meu caso, grandioso é ser valorizado pelo que se fez. É bom saber que fiz algo de bom para alguém. Não é à toa que a Medicina tenta restaurar o que temos de mais importante, que é a saúde física e mental. É claro que tudo isto nos faz atrair uma 'luz' para onde estamos, mesmo que involuntariamente, o que me deixa muito desconfortável. Mas você sempre chamava a atenção que nas aulas da Gávea eu ficava numa posição de destaque, no meio da escada, e, quando as suas filhas subiam ou desciam, acabavam me olhando. Não era intencional. Apenas era o melhor lugar para se estar, já que a sala estava sempre lotada. Talvez Freud explique!".

Leão da montanha mesmo é aquela aluna que dá toques coloridos à rotina que, em geral, é tão sem graça para a maioria das outras pessoas. Sem se deixar revelar, confessa que "a vivência leonina também inclui parecer calma e ter um turbilhão interno; ser altiva sem ser arrogante; respeitar demais o espaço dos outros para que respeitem o seu e a sua liberdade. Quando eu era jovem, não entendia como poderia ser leonina se não gostava de ser o centro das atenções. Com o tempo, percebi que os meus palcos eram outros: um, as relações íntimas e o outro, meu interior".

Não é porque estão nos bastidores que os leoninos deixam de exercer a tal força interior, a coragem de enfrentar os medos e desafios, o desejo de poder e por aí vai. O puma não é capaz de rugir como o leão. Ele mais parece um gato grande ronronando, e, nos leoninos tímidos, o ronronar deixa clara a soberania da sua vontade. Basta um olhar, aquele que só os felinos têm, e pronto, não se discute a vontade do rei. Sabe aquele andar nervoso de um puma enjaulado com o olhar do tipo *vou explodir de ódio*? Pois esses são os nossos leoninos solitários, que não admitem ser dominados, muito menos domados. O leonino da savana parte para cima; o do tipo puma foge e se recolhe nas montanhas da sua individualidade. Um vai rugir, o outro vai ronronar. Ambos querem dizer a mesma coisa, ou seja, *me deixe livre e em paz no meu território*.

A Vivi é tanto um leão das savanas quanto um leão das montanhas, encarando bons e maus tempos nos voos sobre o Atlântico. "Ser leonina", ela diz, "antes de tudo é gostar de ser do signo de Leão. É se identificar com o próprio animal régio e orgulhoso, todo lindo e dourado! É saber que tem um brilho a mais, inegável, mesmo sendo tímida como eu. Me incomoda ser o centro das atenções, como acredito que a maioria dos leoninos é. Não gosto mesmo de ser o assunto do dia/mês ou qualquer coisa parecida. Mas sabe o que é mais engraçado no caso de tentar me esquivar dos palcos? Acaba que faço tanto esforço que chamo ainda mais atenção!"

Filhos do sol: irradiadores de luz

O signo de Leão é regido pelo Sol, ou seja, o astro central do nosso sistema planetário tem tudo a ver com outras características que os nossos leões da savana e leões da montanha humanos possuem.

A primeira associação que eu faço entre o Sol e os leoninos é o poder de centralização por conta da sua força de atração gravitacional. De fato, os leoninos são centralizadores não só porque desejam poder, mas por possuírem um magnetismo absolutamente inquestionável. Querendo ou não, somos todos atraídos por essa força. Podemos até fazer de conta que não os enxergamos, mas é só um jogo. De canto de olho, mantemos a atenção totalmente voltada para esses seres que são, ao mesmo tempo, fascinantes e temerosos. E aqueles leoninos solitários nos fascinam exatamente porque sentimos na sua ausência a sua presença, a sua força e a sua ameaça. Cada leonino é como uma estrela, com vida própria, centralizado no seu próprio eu. E, assim como os planetas giram em torno desse gigante — nem tão gigante assim, diga-se de passagem —, também o leonino, seja por vaidade, seja por nobreza, exercerá, sempre que possível, o comando sobre aqueles que estiverem subordinados a ele.

Se uma pessoa do signo de Leão topar com alguém que esteja sofrendo, desamparado ou indeciso, não tenha dúvidas de que não perderá a oportunidade de mostrar sua força e, principalmente, sua generosidade. "Nós leoninos somos feitos de puro prazer, 'amor da cabeça aos pés', como diria a canção. Então, tudo o que um autêntico leonino faria para animar um amigo é ser verdadeiramente amigo. No dia em que eu soube que uma amiga queridíssima precisava fazer uma cirurgia delicada, que poderia afetar inclusive a sua profissão, fora o risco de vida que ela corria, eu peguei um avião, só, e fui até o lugar em que mais acreditei que poderia pedir e dar à amiga querida uma energia de luz e de vida para que, assim, a cura ou a ajuda para uma cirurgia bem-sucedida chegasse... e chegou! Temos fé na vida. Acho que essa experiência de gratidão e generosidade, sem falsa modéstia, é um ato típico de leoninos, porque somos, sobretudo, amorosos", me falou a Denise.

O Sol é um doador de vida, uma estrela hemorrágica de luz e calor. Ele não se poupa e vai irradiar seu calor até os últimos dias de vida, enquanto nós, seus súditos, nos aquecemos e nos nutrimos com a sua energia.

O Sol pode bem representar a individualidade, a singularidade, aquilo que em nós é único. O que eu venho conferindo há tempos é que o maior desafio do nosso felino, seja ele o que se expõe, seja o que se recolhe, é construir uma autoestima consistente e, principalmente, confiável. Confiável para quem? Antes de tudo, para ele mesmo, depois para os outros.

É por essa associação que eu entendi qual a maior questão na vida de um leonino: tornar-se ele mesmo. Quem sou eu? O que faço para ser eu mesmo? Quem acredito que sou condiz com a realidade? Eis o nosso felino, trancado na jaula da sua mente, tentando se conectar com a luz que emana do seu coração, também símbolo da individualidade e da vida. No nosso sistema planetário, o Sol é a única estrela, soberana, plena, com luz própria. A maior tarefa na vida de um leonino é ser especial, alguém que tem assinatura própria e que é capaz de ter seu autógrafo reconhecido, tornando-se, então, uma pessoa insubstituível. E vocês pensam que é mole percorrer esse caminho? Ainda que a pose do leonino seja a de alguém que confia em si mesmo, sua luta para certificar-se do seu poder é constante. A Denise mais uma vez é clara quando fala dessa luta. "Conselho de leonino para leonino: onde Narciso impera, poderia ser o que recebi outro dia pelo WhatsApp: 'Não desista fácil, nem insista para sempre'. A dificuldade é que o leão, o rei da selva, o signo regido pelo Sol que é simplesmente o 'Centro do Universo', está o tempo todo querendo manter tudo vibrando eternamente ao seu redor. Nunca desiste meeeeeesmo e se empenha em manter o fogo aceso, segue nutrindo, sempre insistindo e aí é que mora o perigo, já que talvez seja fundamental o leonino saber a hora de sair de cena, porque é dificílimo para ele entender

que, sim, tudo tem um fim. O tempo se cansa até da beleza, se esgotando com tanto calor, ainda que sejamos humanos, demasiadamente humanos".

E isso tudo é a mais pura verdade. No fim do dia, o astro rei se põe no Ocidente e se recolhe nas profundezas do seu ego. É o tempo necessário para o leonino recarregar suas baterias e nascer fulgurante, poderoso e iluminado no Oriente da sua personalidade dramática, sedutora, centralizadora e generosa. Voltando a falar sobre a generosidade leonina, se é importante para a pessoa de Leão construir sua autoestima, então ela também poderá alcançá-la sendo importante para as outras pessoas. Quando se sente admirado e reconhecido, o leonino faz contato com o sentimento de amor-próprio e seu coração se abre mais, tanto para si quanto para os outros.

A Vivi recentemente financiou uma viagem à França para uma querida amiga. "Ela só pagou pelas coisinhas dela e pelo bilhete de avião, que eu dividi em muito mais vezes do que a companhia aérea dividiria, sem juros. A generosidade é muito real para o Leão. Ajudo muita gente, faço isso como se fosse uma retribuição astral por tudo o que tenho e conquistei. Me dá mais prazer proporcionar algo a alguém do que ter aquela mesma coisa para mim. Significa mais, significa que eu não só posso ter ou fazer aquilo como ainda posso dar a alguém".

O Sol tem a honra de ser único, assim como os leoninos "são honrados, muito honrados, viu?", diz a Denise. Em nome de tal honra, eles são mais do que exigentes consigo mesmos e, claro, com os outros também. Imagina o que não sente um leonino quando ele se aproxima — eu disse *se aproxima*! — de uma situação ridícula. Seja ele, seja uma pessoa próxima que viva essa situação, ele vai morrer de vergonha, vai se embrenhar como um puma no interior da sua personalidade selvagem e não vai querer voltar à cena antes que tudo tenha sido esquecido.

A mesma questão se dá com a Vivi: "Acho que muito do meu pavor de ser o centro das atenções vem desse medo de ter a imagem distorcida, de que alguém fale alguma inverdade a meu respeito, ou me julguem mal e eu acabe pagando mico, fique malfalada, com a honra abalada. Tenho muito zelo pelo meu nome e imagem como pessoa e profissional, e só de pensar em 'cair em boca de Matilde' me dá arrepios".

A vaidade e o orgulho do leonino podem tanto salvá-lo quanto ferrá-lo. Tudo depende do modo como ele põe à disposição esses sentimentos. Se forem postos a favor da criatividade, teremos aí uma bela obra, seja algo criado por ele, seja essa obra ele mesmo. Chamo isso de estilo! E põe estilo nisso! Não é, pois, por acaso que tantas pessoas tentam imitar o jeito de ser de um leonino, o modo como se veste, suas frases de impacto. Mas vamos combinar que só o nosso felino possui, ao mesmo tempo, aquele andar misterioso, um olhar penetrante e desafiador e uma elegância que nenhum outro animal da natureza tem.

Outra característica típica dos filhos do Sol é a megaexigência que têm consigo mesmos, e isso gera uma expectativa sinistra, a ponto de deixar o nosso leonino exaurido. Entretanto, essa exigência não acaba no seu território. Ela também passeia em terras alheias. Que o diga a Vivi: o que mais a incomoda como leonina são as expectativas. Altíssimas sempre! "O que ocorre", diz minha querida comandante, "é que eu sou tão insistente, tão chata, que consigo sempre tudo o que quero. Eu sou do tipo que, se tem que ser preto, não serve cinza-chumbo, preto *stoned*, marinho profundo. Não, não e não! Eu quero preto; mesmo que não exista eu dou um jeito de fabricar! Isso inclui coisas, relacionamentos, tudo. Mas eu não desisto, sou tinhosa. Uma vez, desempregada, eu declinei de um emprego bom só porque fiquei com um mau humor enorme na entrevista com a psicóloga, pois ela tinha se atrasado e eu tinha chegado na hora certa. Achei um desrespeito.

Na verdade, eu não queria trabalhar naquela companhia nem voar naquele helicóptero, e eu sabia que 'sabotar' essa entrevista me impediria talvez de ser chamada".

A sombra de Leão: a rejeição

Leoninos são bravos. O.k. São corajosos. Sim, claro, isso nós já vimos. Mas qual é o seu ponto fraco, a sua sombra? Poucos conseguem imaginar o rei da selva em situação frágil, com medo ou inseguro. Pois é! Mesmo que seja difícil para um leonino admitir, ele é frágil, tem medo pra cacete e é muito, mas muito, inseguro, sim, quando visita sua selva sombria.

Quando eu peço para um leonino se imaginar no palco e pergunto qual seria o seu maior medo, em geral ele me responde que é errar o texto. A Vivi considera que uma das coisas negativas de ser leonina é a vergonha de assumir que falhou, que fez algo errado ou que se esqueceu de algo importante. "É tanta a vergonha que sou capaz de pensar em tentar bolar alguma coisa mirabolante só para não dar o braço a torcer. Porém, vem sempre a moral falando mais alto, a questão de não ser sincera e honesta pega muito mal pra mim, e aí acabo assumindo, mas m-o-r-t-i-f-i-c-a-d-a!!!!!!!". Talvez, o que mais fira o leonino no caso de errar o texto é ser vaiado no final do espetáculo. Rejeição, efetivamente, para eles, é a morte!

Na mitologia grega, a história da morte do Leão de Nemeia é a que tem relação com a Constelação do Leão. Ela começa assim: na cidade de Nemeia vivia um temido, feroz e devastador leão que passava parte do dia escondido num bosque e que, quando saía de lá, devorava os habitantes e rebanhos da região. Ninguém conseguia acabar com a fera, pois sua pele era invulnerável e a caverna onde ele se escondia tinha duas saídas, o que dificultava se aproximar dele. Hércules, o herói conhecido por sua força descomunal, fechou uma das saídas, com uma porretada tonteou a fera e, num golpe final, sufocou o leão com a força dos braços. Hércules então vestiu seu corpo com a pele do animal, tornando-se invulnerável, e da sua cabeça fez um capacete. Em comemoração, Zeus colocou o leão entre as constelações zodiacais. A moral da história é que o ego feroz deve ser dominado para então tê-lo à nossa disposição, e não o contrário.

O meu amigo puma, o Euler, fala que, pelo lado negativo, ele se lembra de uma crítica forte que fez a um colega de turma por uma coisa supostamente errada que esse colega havia dito. Isso não gerou consequências maiores a não ser a sua viagem "ao lado negro da força", da qual ele se arrepende até hoje, mas que entende: "Acho que esses maiores furos vêm de um sentimento de superioridade exacerbada e inflada, que faz nos acharmos mais e maiores do que realmente somos. Para mim, apesar de ruim, foi bom para saber onde não devemos estar".

A sombra projetada de Leão no signo oposto, Aquário, revela o tendão de Aquiles dos leoninos, e, quanto maior é a luz emitida por esse signo solar, maior será também a sua sombra. Se a pessoa de Leão conhecer e, mais, desenvolver as qualidades do seu signo oposto e complementar, suas energias entrarão em equilíbrio e ela passará a dominar a sombra, em vez de ser dominada pelos fantasmas que lá habitam. Quando pedi para a Denise me contar um desatino que tenha vivido, ela me respondeu: "Pensando além da imaginação, que erros alguém do signo de Leão poderia cometer? Ai, ai, pergunta difícil! Afinal, errar é humano, mas, como assim, se os leoninos foram feitos para estar entre os deuses do Olimpo? Talvez a maior burrada que o leonino possa cometer — e olha que comete, embora admitir a falta de brilho seja dramático (somos dramáticos, é claro) — é se achar tanto, mas tanto, que não aceita um 'não' caso esteja apaixonado... Aí, minha amiga, só mesmo os anos para dar muita trombada até o leão se sentir um ratinho,

entender o tamanho da sua insignificância, até, quem sabe, chorar mágoas, dar uma sumida pra ninguém ver aquela figura ma-ra-vi-lho-sa e ativa lamber as feridas, até que seja possível o retorno... triunfante!".

Deu pra sacar que o maior desespero na vida do leonino é ser rejeitado? Como assim? Alguém ousa não atender ao seu desejo? Mais uma da Denise: "Quer deixar um leonino desalmado? Ignore a sua presença. Pronto, matou, atirou no ego, estragou a festa, feriu e nunca será esquecido pelo ferimento causado... Se julgam fortes os leoninos, o poder do Sol é aquele frescor de LUZ e PAIXÃO (em letras maiúsculas, por favor) ao redor dos súditos. Sim, adoramos ter súditos! Mesmo que seja só dentro da nossa cabeça coroada de orgulho! Ninguém poderia ser mais generoso, ou agradável ou vaidoso mesmo... então você já chega se sentindo, se achando o rei da cocada, mas, numa boa, se você for um leonino bacana, não vai chegar esnobando ninguém; pelo contrário, vai chegar caloroso e amável. O problema começa quando esse amor todo pra dar não é muito bem compreendido. Daí pode rolar uma certa inversão de faísca e o leão manso vira uma fera, vai cobrar, vai discursar e tentar mudar o outro. Mas acho que, no geral, um leonino sempre vai se sentir o máximo. Como assim a roupa não está legal? A festa que o leonino organizou não bombou?!?".

Precisa dizer mais para entender o tamanho da dor da fera que se torna muito mais perigosa quando se sente rejeitada do que quando está segura? Acredito que os leoninos tímidos, do tipo puma, vivam solitários e se tornem introvertidos para não enfrentar o sofrimento de não serem amados. Quanto aos extrovertidos, a dor é mais profunda ainda, pois, na sua onipotência, não supõem que o santo de alguém pode não cruzar com o deles.

É aí que entram as qualidades do signo de Aquário, seu oposto e complementar. O irrigador astrológico simboliza o espírito coletivo e de cooperação. Para o signo de Aquário, todos navegamos no mesmo barco, independentemente das nossas diferenças. É o andar junto, o dividir o palco, coisa que, para um leonino, não é nada fácil; na melhor das hipóteses, ele admite um coadjuvante. Mas e se o coadjuvante levar o prêmio e ele não? O coração parece que vai parar, sair pela boca. Quando as suas sombras ainda não foram conhecidas e iluminadas, o leonino não consegue admitir que o mundo além dele não orbita ao redor do seu Sol luminoso e criativo. Sem o reconhecimento do outro, representado pelos raios aquarianos, símbolo das tempestades que regam o solo árido e facilitam a produção das novas sementes, o calor do leonino se torna infernal, e seu território, deserto. O leão solitário, então, enfraquece. Como diz a Denise, "é nesse momento que sua pequenez é reconhecida, as feridas causadas pelas mágoas de ser rejeitado serão lambidas para que se cure e volte para a cena mais forte do que nunca, pois soube reconhecer sua própria fragilidade". Quando os polos opostos de Leão e Aquário se equilibram no coração de um leonino, ele se torna verdadeiramente o mais nobre, o mais generoso e o mais humano dos mortais.

Com a palavra, o Euler: "Uma imagem de satisfação que sempre me vem à mente é a de um solista de uma orquestra, que, como tal, terá o seu espaço, seu momento solo, convivendo com os outros solos, cada um na sua vez". É isso aí, meu amigo puma.

As leoninas da minha família: Josi, Mari, Clara e Margô

Três leoas chegaram à minha vida sem fazer muito estardalhaço. A quarta, porém, entrou com pompa e circunstância, como é de se esperar de um leonino. Pode parecer estranho, mas muitas vezes os leoninos não fazem barulho nenhum. Nenhum mesmo. Com uma dignidade que dá inveja para quem é mais desajeitado, eles se impõem só com o olhar. Voltando às leoas, na selva da minha história de encontros e desencontros, o território de três delas é separado do meu por alguns milhares de quilômetros. A outra divide o cenário com a minha Lua em Leão. Também reina uma imensurável distância entre os modos de ser de cada uma dessas majestosas leoninas. Uma é leoa madura. A outra, já está quase lá. A terceira ainda é filhote. A quarta já tem na conta 90 anos bem vividos. É incrível como a maioria das pessoas desse signo que eu conheci não é nem exibida nem colorida, como dita a lenda. Mas isso não quer dizer que muitos leoninos não abram o peito e digam logo a que vieram. Outros ficam na sua, exercitando como ninguém seu magnetismo. Talvez por isso, ou por se mostrarem tão seguros de si, é que são tachados de narcisistas. Certo!

Mas e a tal generosidade, também associada ao famigerado signo representado pelo rei dos animais? Prefiro ficar com a grandiosidade, com a imponência e daí entender que cada leonino exerce sua força como bem entende. Aliás, isso não é válido só para o signo de Leão. Vale para todos os signos. No entanto, como Leão tem a ver com autoconfiança, os traços especiais de cada leonino explodem e não há a possibilidade de não serem notados. Nunca tive a oportunidade de me aproximar de um leão no seu *habitat*. Zoológico não vale, não curto, não sou a favor. Mas essas três leoas já bastaram para sentir qual é a da força de um leonino.

Josi, a que está curtindo a maturidade, leoa mãe, leoa mulher, foi uma dessas pessoas que, quando conheci, se tivesse que adivinhar o signo — coisa que nunca faço —, jamais diria que é Leão. Mas vocês devem imaginar que, num dado momento, o rugido há de anunciar a presença do comando. Com o coração do tamanho de um bonde, quando casou com meu irmão capricorniano, ela encarou a tarefa de comandar um pacote que comprou quase ao fim da adolescência, três enteadas, e depois de mais dois filhotes que ela pôs no mundo. Não sei se, na pele dela, eu saberia administrar a variação de humores — e bota variação nisso — daquela galera que pisava forte, falava grosso, manipulava e caía em prantos quando a coisa pegava. É de dar gosto ver a força que emana dela, como se fosse a coisa mais simples do universo. Naquela passada imperial que só um felino sabe dar, minha cunhada foi conquistando o amor de todos à sua volta, e hoje não há quem não confie na proteção do seu olhar, respeite e reverencie o seu poder.

A leoa que beira a maturidade chegou ao mundo já pedindo atenção para sua estreia. Segundo meu querido amigo Vicente Pereira — que por acaso também nasceu leonino —, Leão não nasce: estreia. Eu estava milhares de quilômetros distante do palácio natal da minha primeira sobrinha. Cercada das atenções de todos, foi vencendo os desafios dos primeiros dias no CTI com a força de uma ninja. Saiu fortalecida. E assim cresceu a pequena leoa, enfrentando tudo com o estrondo do seu rugido sempre que sua vontade era contrariada ou que tentavam lhe impor algo que não aceitava. Mari entrou na minha vida devagarinho, devagarinho e... quando vi, perguntavam se ela era minha filha, tamanha a semelhança que havia entre nós duas.

Clara, leoa filhote, contraria a principal receita de bolo de como é um leonino. E qual é? Adorar se expor. Com ela, nem pensar! É exatamente o contrário. Hoje adolescente, é daquele tipo de Leão que fica completamente na sua, sem dar a menor bola para o que está acontecendo à volta. E é justo por esse seu jeito introvertido de ser que todos acabam voltando a atenção para ela. Quanto mais as pessoas a forçam a sair do seu rico mundinho, mais essa leonina se embrenha na selva, e só dá para ouvir o ronronar do puma que não quer ter a intimidade devassada. Quando Clara estreou, eu estreei no papel de avó. Também com milhares de quilômetros nos separando, eu fui chegando de mansinho, e hoje ela permite que eu adentre a sua selva em alguns momentos. Poucos, mas, no silêncio, nos entendemos.

E, finalmente, a leoa no salto alto dos seus 90 anos! Margô, minha sogra. Vocês podem imaginar alguém nessa idade fazendo a postura da ponte, se equilibrando num banquinho para pegar alguma coisa na prateleira do alto, dormindo em cama japonesa e, diga-se de passagem, levantando com a agilidade de uma adolescente? Pois essa é a minha sogra leoa. Assunto? Não falta. Quase sempre o diálogo gira em torno de quem? De quem? Dela, naturalmente. Das poesias que faz com o brilhantismo da criatividade de um leonino, dos seus sonhos, das suas paixões, das paixões que despertou nos homens que adentraram a sua selva. Essa rugiu quando me conheceu. Mas não foi para me apavorar. Foi um rugido de acolhimento. Talvez tenha reconhecido na minha Lua em Leão a força do animal selvagem que também habita em mim. Por sorte, tanto minha quanto dela, nos respeitamos e nos amamos.

VIRGEM

LUZ EM VIRGEM

QUALIDADES

Praticidade
Organização
Discernimento

SOMBRA EM PEIXES

DESENVOLVER

Calma
Sensibilidade
Aceitação das falhas

DIVAS

A primeira coisa a fazer quando se quer compreender Virgem é acabar com a desonra de ser tachado de signo mais cri-cri do universo. Segunda coisa: você já parou para pensar que Virgem é o único signo do Zodíaco representado por uma mulher? Temos vários bichos, vários homens — o aguadeiro, a parte humana do centauro, os Gêmeos — e um objeto, a balança. Libra também é único, mas deixo para comentar isso no capítulo dedicado a ele. Voltando ao nosso signo feminino, nos primórdios da Astrologia, Virgem foi associado ao alimento que a terra produz e ao aparecimento de um novo modo de sobrevivência graças às mulheres, que descobriram como distinguir as boas plantas e provocar a sua germinação. Sim! Segundo antropólogos conceituados, a agricultura foi inventada pelas mulheres. Desde então, não foi difícil eleger um signo para representar o feminino e seus atributos, inclusive a capacidade de perceber as pequenas coisas e suas diferenças nos mínimos detalhes.

Na mitologia grega, Astreia é o nome da Constelação da Virgem. Astreia, em grego, quer dizer estrela, a diva do nosso amado cinturão zodiacal. Ela nasceu e viveu na Terra durante a chamada Idade do Ouro, semeando nos humanos a paz, a justiça e a

bondade[1]. Mas, como todo mundo já sabe, os mortais degeneraram e, sem pedir licença à mãe terra natureza, rasgaram o solo fértil com o arado e nossa diva abandonou a Terra e subiu ao céu, onde foi transformada na Constelação da Virgem.

Podemos pensar muita coisa sobre como tem sido interpretado o mais cristalino, mais ajeitado, mais perspicaz signo que os humanos constelaram nos céus, a começar pela ideia da virgindade. Não pensem vocês que a virgindade da nossa diva astrológica tenha a ver com sexo. Na mitologia grega, as deusas virgens eram aquelas que não se submetiam à dominação patriarcal, ou seja, não se rendiam às regras machistas. A seguir, deixemos de acreditar que as pessoas desse signo são cheias de pudores, cheias de não me toques e que dobram calcinhas e cuecas antes de transar. Ao contrário, o signo de Virgem tem a ver com sensualidade, aquela sensualidade de quem saiu de um mergulho com todo o poder de sedução que só a naturalidade é capaz de produzir.

Meus alunos fazem parte do meu observatório astrológico, dilatando sempre meu conhecimento sobre os astros e suas relações com o que acontece na nossa vida aqui no planeta. E, se tem uma aluna que expressa com maestria as qualidades de uma diva, é a minha aluna Lia Farah. Não tem quem não se sinta atraído pela sua sensualidade feminina, pelo frescor do seu sorriso, pela naturalidade com que deixa transparecer a fertilidade do seu solo. Seu jeito meio tímido e, ao mesmo tempo, megaespontâneo de ser, foi me cativando aos pouquinhos, naturalmente, como todo bom virginiano sabe fazer. Sim, eles chegam devagarinho, sem estardalhaço, feito semente que germina, e quando a gente vê, já são uma baita árvore oferecendo, toda-poderosa, sombra e água fresca.

Pois aquele signo tido como sem graça, anódino, chato, está longe de fazer jus à potência representada pelas nossas divas

[1] BRANDÃO, J. S. *Mitologia grega*. Petrópolis: Editora Vozes, 2015.

zodiacais. E olha que estou falando o tempo todo em divas! Quero dizer que não importa se é homem, mulher, gay, trans... o que quer que seja, serão sempre divas. Aqueles que preferirem que se considerem divos!

Classicamente, Virgem é associado ao dom de servir. Bem, aqui devo esclarecer que não é um servir de cabeça baixa, um servir que obedece a um comando, muito menos um servir escravo. Se fosse assim, iria por água abaixo todo o significado simbólico de não submissão à lei do mais forte, ao esquema de dominação típico da dinâmica patriarcal presente no nosso mundo desde os tempos imemoriáveis que Astreia representa. É um servir generoso, completamente natural, do mesmo jeito que a mãe natureza oferece o alimento que brota da sua produção. Ela não cobra, ela não espera nada em troca a não ser que a preservem, que não a deflorem, que não a violentem. E assim também são os virginianos. Servem sem o menor esforço, desde que não os forcem a fazer o que não querem, desde que não devastem seu poder de produção, desde que não acabem com a sua fertilidade.

Quer ver o nosso desafetado virginiano provocar um terremoto daqueles e ser capaz de jogar pratos na parede? Tire dele uma tarefa à qual está habituado e habilitado a fazer e diga que o está dispensando porque seu serviço não é mais necessário, que ele vem cometendo erros ultimamente e que tem prejudicado a produção. Ou pior: fale que ele é qualificado demais para exercer tal função! Para ele, ficar sem ter o que fazer é a morte. E errar também. A natureza não para de produzir e, quando para, é devastador para a vida. Um virginiano sem atividade pode se tornar o mais seco dos desertos, uma diva solitária. Reza a lenda que, antes de Astreia ser constelada no céu, ela se deprimiu. Também um virginiano entra em tristeza profunda quando não se sente útil.

Outro grande poder da natureza é o de se regenerar e se rearranjar. Então, se para Virgem o erro é fatal, a possibilidade de

repará-lo faz parte do grande pacote que o cosmos lhe destinou. Os virginianos estão sempre reorganizando o que desarrumaram, seja na cabeça, seja nas coisas práticas da vida.

"Há uns anos", fala a minha querida diva Lia, "eu fui dividir apartamento com uma amiga. Ela é leonina, outra lógica. Eu encontrava sempre muitas moedas perdidas pelo chão da casa. Acredito que ela achava algo muito pequeno para se preocupar, e ia deixando coisas espalhadas, uma desordem. Foram muitas as vezes que eu esperei ela sair de casa e arrumei tudo. Não era um peso. Eu arrumava, ordenava e depois admirava meu trabalho. Muitas vezes, eu voltava pra olhar mais um pouquinho aquele universo em harmonia. Quanto prazer! A segurança do que se repete. O prazer pela ordem, qualquer ordem! Basta uma lógica que tudo serve. Plantas arrumadas para um mesmo lado, pratos servidos com as porções proporcionais, cores similares juntas, categorias. Deve mesmo parecer chato, mas é impossível descrever o prazer que isso dá". Não preciso fazer nenhum comentário a mais. A Lia realiza o destino que o signo que a viu nascer lhe concedeu.

A mãe natureza é uma realidade que não se pode negar. É certo que sua exuberância e beleza nos seduzem, nos fazem viajar e nos inspiram a alma, mas ela está lá. Ela é como é, como lhe foi concedido ser. Sem tirar nem pôr. Se pusermos as mãos nela para dar um jeitinho de ficar mais legal, podemos estragar tudo. E isso ela não perdoa. Um dia vem o troco. Tudo isso para falar da necessidade das nossas divas zodiacais de se sentirem seguras, e segurança, para elas, é ter os pés no chão da realidade. Sabe aquela história de São Tomé, de ver para crer? Pois é, enquanto não apalpa, não sente que é real, o virginiano é desconfiado. Não tanto do outro, mas desconfiado de que as coisas possam dar certo, de que, no final, tudo se resolve. A incerteza é um dos maiores adversários dos virginianos. É importante aqui falar que as intempéries naturais da vida, as dificuldades para resolver problemas, não são um desespero para eles. O desespero é não saber quando o perrengue vai acabar ou qual caminho seguir para dar fim a um tormento.

Muito tempo atrás, Elisa Ventura, que hoje faz parte das divas do meu celeiro amoroso, adentrou meu consultório e disse que só acreditava em Astrologia porque ela era científica, era baseada em cálculos. Falei para Elisa que não era bem assim, que a Astrologia era um saber assim e assado, mas, para a minha querida diva virginiana, acabei falando: "Que bom que você acredita pelo menos nos astros". E assim fomos ficando cada vez mais amigas, ela com seu amor aos livros, eu com meu amor à Astrologia. Apesar das livrarias e dos astros, nosso melhor encontro é na mesa de um bar, brindando com a Aninha, com a Márcia, com a Tetê e com um bom espumante.

Abelhas-operárias e formigas obreiras

Cometendo uma pequena heresia astrológica, vou associar os virginianos a esses dois bichinhos extraordinários que a mãe natureza produziu: abelhas e formigas. Eu digo "pequena" porque, fazendo jus ao signo representado por uma deusa feminina, tanto as abelhas-operárias quanto as formigas obreiras são fêmeas. Aí eu mereço perdão pelo pecado cometido. Sacrilégios à parte, falar da organização dos virginianos é quase como dizer que essa associação se parece com o doce bem-casado, uma dupla inseparável. Tanto a sociedade das abelhas quanto a das formigas são extraordinariamente organizadas por divisão de tarefas. São bichinhos que trabalham, trabalham, não param. São milhares e, incrível, nunca se atrapalham. Tudo funciona de forma impecável.

"A robótica jamais explicaria por que a engrenagem do virginiano não para, não altera suas rotações, não pifa, não desliga", diz a Lia. "É como nascer trabalhando sem descanso, sem direitos

trabalhistas. No momento em que acendem as luzes, começa uma jornada rumo ao infinito. Possibilidades, experimentações, quanta curiosidade! Dá pra pegar? Dá pra cheirar? Dá pra lamber? Dá pra juntar, separar, esmagar, matar, reviver, pisar, diminuir, aumentar? O que isso faz? Isso pode ser eu, você, as coisas, quaisquer coisas."

A organização das nossas abelhas-formigas zodiacais é apenas um método que elas utilizam para facilitar seu trabalho e, por conta disso, não se atrapalhar. Dizem que os virginianos são complicados demais, encucados demais, exigentes a dar com pau. Posso dizer que, em parte, é verdade. Mas só em parte. A meu ver, a maior qualidade das pessoas nascidas nesse signo é conseguir simplificar as coisas, deixá-las meramente funcionar ao natural, sem colocar defeito a cada minuto. Só que, para fazer alguma coisa dar certo, sem provocar nenhum tipo de dor de cabeça em ninguém, sua função é descomplicar a trolha que elas pegam pela frente. A Lia sempre diz que "quanto mais em ordem o mundo está, mais fácil é entendê-lo. São camadas, das mais profundas às mais superficiais". Estou plenamente de acordo.

Mas não pense você que essa organização passa necessariamente pela clássica mania de limpeza, dedos passados no chão para verificar se tem algum resíduo de poeira, um armário todo compartimentado onde estão metodicamente organizados e catalogados todos os tipos de medicamentos para todos os tipos de mazelas que podem acometer um virginiano. Às vezes, é mais comum encontrar essas características em pessoas de Peixes, devido à sombra que esse signo projeta em Virgem, o seu oposto. No capítulo que compete ao nosso ser marinho astrológico, essa tendência será bem analisada. É certo que muitos virginianos se parecem mesmo com abelhas e formigas, não permitindo que haja nenhuma falha no sistema, exigindo que tudo esteja na mais perfeita ordem para ficar na mais perfeita paz de Deus. Mas, para aqueles mais desgrenhados — e eu conheço muitos deles —, a organização passa pela cabeça, pela necessidade de planejar cada detalhe para que tudo dê certo no final das contas. A bem da verdade, ser virginiano é construir um lugar onde as coisas funcionem. Para uns, esse lugar é o seu trabalho; para outros, a sua casa ou os seus amores, e, para todos, a cabeça deve funcionar bem. As colmeias mentais, os labirintos interiores são o território onde um virginiano constrói a sua realidade. O importante para ele é obrar, é produzir sem parar. Não importa se organizando armários, eventos ou a cabeça de alguém. Ele estará sempre organizando e produzindo.

Um dia entraram na sala onde a Lia trabalhava três funcionárias de outra área da empresa. "Minha chefe e eu, sempre muito parceiras — ela também é virginiana —, conhecíamos nossos métodos muito bem e nos orgulhávamos da parceria. Eis que entram essas três mulheres na sala e, aos poucos, fomos conversando e chegamos à surpreendente conclusão: das cinco mulheres, quatro eram virginianas. Quanta risada! Quantos métodos revelados. Tudo tinha uma lógica, e o incrível é que todas já haviam pensado e tinham seus métodos próprios. Impossível descrever! A maneira de arrumar a casa, de arrumar a mesa de trabalho, de arrumar o prato nas refeições, de achar lógica onde não tinha. Achar similaridades em grupos, pontos de conexão entre pessoas, a peça que falta do quebra-cabeça. O mundo é um desafio. É algo que nos chama para a investigação todos os dias. Por isso, não dá pra parar. Temos muito o que fazer".

Filhos de Mercúrio: investigadores

Vejamos agora a relação que a nossa diva-abelha-formiga tem com Mercúrio, o planeta que rege o signo de Virgem. Diz-se que um signo é regido por um planeta pelo fato de ambos terem semelhanças nos seus atributos simbólicos. Vamos, então, viajar pela mitologia e conhecer um pouco mais (a outra parte está relatada no capítulo de Gêmeos) quem era esse deus para os gregos. Mercúrio é aquele sujeito que veste um capacete e sandálias com asinhas, portanto é capaz de se deslocar com mais agilidade do que deuses e mortais. A princípio, ele era o guardião dos caminhos, protetor dos viajantes e dos rebanhos. Depois, transformou-se no mensageiro dos poderosos imortais do Olimpo e em deus das ciências ocultas[2]. É no interesse desse deus pelo ocultismo que se baseia a analogia de Mercúrio com a diva curiosa, de poderosas antenas, aquelas que não deixam passar despercebido do seu campo de observação nem o mais microscópico micróbio do planeta. As asas de Mercúrio podem bem representar a agilidade mental e lógica dos virginianos, facilitando o seu trânsito pelos caminhos do saber, seja o saber dos mestres das academias, dos vendedores de mate na praia ou das rendeiras do Nordeste.

Cabe aqui falar da minha querida Delia Fischer, uma abelha que joga nas onze. Compositora, cantora, pianista, arranjadora e diretora musical, ela me impressionou desde o início, o que se confirmou quando a vi ao vivo e a cores. Para mim, nesse momento, a abelha-operária se tornou abelha-rainha, única. Ela bem sabe como é ser filha desse mensageiro: "Dificilmente eu cantaria no banheiro antes de fazer aquecimento vocal e entender um pouco o funcionamento fisiológico da voz, coisas de uma virginiana que estudou piano, harmonia e composição porque gostava de música popular, mas quis saber um pouquinho mais... O lado bom é mergulhar mais fundo e acabar tirando proveito dessas situações, cair num cargo de direção musical. Com certeza, esse é o meu lado virginiano, que anota tudo o que pode para melhorar. Meus amigos do teatro sempre perguntam se eu levei meu 'caderninho' de anotações durante as estreias".

[2] BRANDÃO, J. S. *Mitologia grega.* Petrópolis: Editora Vozes, 2015.

A bem da verdade, existem dois tipos de Mercúrio: o que se interessa por desenvolver teorias para que depois sejam aplicadas na prática, e o outro, que se interessa por experimentar para poder compreender. Em geral, associo a habilidade dos virginianos aos artesãos, apesar de conhecer alguns que carregam consigo vários títulos acadêmicos e são apaixonados pelo ato de pesquisar. No final das contas, tanto um quanto o outro têm prazer em procurar agulha no palheiro. Nascem daí os investigadores, os que não sossegam até descobrir onde está o Wally. E, para ser um investigador de verdade, não tem como não ser, igualmente, um exímio observador. E isso, ah!, todo virginiano de verdade é.

"A sensação que eu tenho é que nasci pesquisando, olhando, entendendo, observando ao redor", me diz a Lia. "A pessoa está falando comigo e eu estou olhando o plano de trás. O quadro está torto, os livros arrumados, as cores combinam, a roupa do sujeito diz o quê? Brincar de detetive e tentar compreender quem são os culpados, inocentes, mentirosos ou ingênuos. Quanto trabalho! Essa mente não descansa! Está sempre a postos para novidades, descobertas e claridades."

Para os nossos investigadores zodiacais, a parte mais interessante em todo esse processo, talvez, seja suprir a curiosidade. Esta tira qualquer diva do seu posto e passa a ser um foco de obsessão. Com dois para três anos, a Lia aprendeu a falar. E ali começou o desespero da sua mãe. Ela teve duas filhas, foi mãe jovem, tinha que trabalhar, cuidar da casa, dar conta de tudo e esperava ansiosa o final de semana chegar. A mãe pensava: "Finalmente elas vão brincar juntas, vão se ocupar e eu vou ler um pouco, vou tomar um banho com calma, vou tomar conta de mim". "Hoje tenho pena", a Lia conta. "Eu não tinha nem tamanho de gente, mas todos os finais de semana, sábados e domingos — sentindo falta da programação rotineira da escola, lanche, brincadeira, amigos —, eu acordava disposta a viver a vida! E o primeiro pedido, antes do

bom-dia, era: 'O que nós vamos fazer hoje?'. É uma saga que não cessa, uma curiosidade que não é possível controlar. O universo da minha própria casa tinha sido investigado por mim. Cada cantinho. Então, eu queria mais".

Por fim, não poderia faltar o famoso discernimento dos virginianos. Eu não contei lá atrás, mas Astreia — aquela que se transformou na Constelação da Virgem — carregava consigo uma balança que subiu ao céu junto com a deusa quando ela foi constelada. Ainda que essa balança seja a representação do signo de Libra, as duas histórias não se separam. Discernimento sugere bom senso, e balanças também. O fato é que os virginianos costumam discriminar as coisas para entender melhor cada uma delas. É poder entender cada coisa no seu estado puro, no seu estado virgem. Não é à toa que Virgem rege o intestino delgado, lugar onde os nutrientes — produtos úteis ao nosso organismo — são selecionados e absorvidos. O que é bom é aproveitado, o que não é útil é eliminado. Essa é a lógica dos virginianos: separar, selecionar, discernir e fazer funcionar bem. É por essa razão também que o signo de Virgem está associado aos hábitos que favorecem a saúde. Para um virginiano, uma dieta, uma malhação ou mesmo uma meditação só vão funcionar bem mesmo se produzirem saúde; o resto é pura modinha sem sentido algum. Qualquer coisa que lhe interesse tem que ser do bom e do melhor. A prova disso é quando a Delia fala que existem grandes obsessões que a impelem a querer sempre ser especialista nas coisas. Diz ela: "Eu não faço uma aula de dança ou academia 'normal'. Quando dá na telha, eu procuro logo um centro coreográfico para fazer aula de pilates e movimento".

Ainda em relação ao discernimento, não tem como não falar do famigerado senso crítico que acomete nossas divas-abelhas-formigas. Sim, todas elas são críticas. E o que seria do mundo se não houvesse quem apontasse as falhas, quem não tentasse corrigir os erros? A Elisa diz que ser virginiana é muito bom e muito difícil. "Bom porque o meu senso claro e prático me ajuda a não problematizar as dificuldades. Tudo o que eu digo e o que ouço tendo a ouvir e dizer claramente, sem desvios, e isso facilita a comunicação, principalmente no âmbito profissional. É ruim porque sou crítica e detalhista. E, justo por ser clara e franca no diálogo, posso soar como alguém frio e blasé. Meu afeto virginiano tende a ser demonstrado em coisas úteis e produtivas, e não em divagações e flores. Mas acho que isso transmite mais firmeza e segurança para os que me rodeiam". Eis o bom exemplo da praticidade, simplicidade, clareza e discernimento entendidos como qualidades e desmistificando a lenda de Virgem ser o signo "mais chato do Zodíaco". Chatos todos os signos podem ser. Cada um a seu modo.

A mais interessante história sobre a exigência da diva astrológica me foi contada também pela Elisa. "Uma vez tive um encontro amoroso. A noite prometia, o assunto era interessante, tudo corria muito bem. De repente, o meu olhar, mais do que crítico, se depara com um cinto dourado cintilante que a pessoa vestia tão despretensiosamente. Daquele momento em diante, não conseguia mais me envolver com aquela conversa, só olhava para aquele acessório com profundo incômodo. Devo ter demonstrado meu desconforto, pois, a partir daí, a noite desandou. Fui ao banheiro e, quando voltei, o táxi já havia sido pedido antes mesmo da conta. Para nós, virginianos, um cinto dourado pode botar por água abaixo até a promessa de um grande amor!"

Por fim, com a palavra novamente a Lia: "A compreensão é uma necessidade. Dissecar, observar, aprender. O importante é entender as engrenagens do mundo e absorver as lógicas. Como um programador, sinto que somos agentes de formulação. Quanto mais se compreende, mais corretas estarão as teorias, as conclusões. Por isso acertar é um conforto. Por isso é tão difícil errar, beira a morte. Quanto sofrimento!".

A sombra de Virgem: o escapismo

Do outro lado, no oposto, o signo de Peixes reina absoluto no universo da fantasia. Ao mesmo tempo que as qualidades de Peixes são opostas às de Virgem, elas são também complementares. A sombra projetada pela luz que ilumina o jeito de ser dos virginianos é vivida e sentida como algo que eles não dominam, um reino que se apodera deles sem que tenham a menor possibilidade de controlá-lo. A saída é iluminar as profundezas dos oceanos piscianos e se assegurar de que sonhar é um excelente meio para criar soluções para as falhas que tanto afligem a alma de quem é do signo de Virgem. Só assim um virginiano poderá exercer a melhor versão do seu grande dom: o do aperfeiçoamento. Ele vai compreender, então, que não existe perfeição, mas um constante aperfeiçoamento.

O que eu mais me lembro sobre a sombra de Virgem é a Dona Emy dizendo para os virginianos: "Não critique seu irmão antes de andar sete dias nas sandálias dele". Por sinal, Peixes rege os pés e a psique e está associado à capacidade de se colocar no lugar do outro em vez de criticá-lo. A Delia tem um episódio curioso a esse respeito: "Anos atrás, fui assistir a um show do Tim Maia. Na banda, muitos amigos. Era um evento especial, mas ligeiramente bagunçado no quesito sonoro. Coro e banda formados para o show. Tim Maia não ensaiava, disso já sabemos hoje em dia por relatos de livros e filmes. O amigo que me convidou era o Antonio Sant'ana, querido baixista — esse, sim, já era membro antigo da banda —, e, ao final do show, falei que ele esteve ótimo, o que de fato era a pura verdade! E ele perguntou, 'mas, e do show, gostou?'. Aí eu fui listando todos os detalhes, desde desencontros da banda, som desequilibrado, erros de harmonia, item por item e, no final, eu falei: 'Mas foi ótimo!'. Todos caíram na gargalhada e ali eu percebi que tinha me excedido".

Outra história, também com a Delia, tem a ver com o perfeccionismo e a exigência dos virginianos, mas também com a sombra do seu signo oposto. Peixes está relacionado a intuição, compreensão e sensibilidade. Portanto, quando a exigência excede, um virginiano pode cometer, sem se dar conta, os erros que tanto tenta evitar: "Lá no comecinho da vida musical, quando as pessoas tentavam me conectar para formar bandas, duetos, grupos etc., eu era apresentada a eles por amigos em comum e, num louco sincericídio juvenil, mandava voltarem para casa e estudar mais. Isso aconteceu com muita gente boa que, por sorte, voltei a encontrar mais tarde e que me quer bem. Naquele momento, eu me colocava no papel deles e, como era muito rigorosa comigo também, cobrava esse rigor dos outros. Hoje sei que muita gente que não estudou e tem uma formação extremamente intuitiva pode ir muito longe na vida, graças!!!".

Aquela história de que virginiano não pira é a maior besteira que eu já ouvi. Como ele costuma ter quase tudo sob controle em uma agenda física, eletrônica ou mental, o povo acha que quem nasceu sob esse signo tem um equilíbrio emocional invejável. Pois, ao meu ver, isso é o que ele menos possui. Virgem pode ser um dos mais racionais signos do Zodíaco, um dos mais lógicos, aquele que tem uma boa resposta e explicação para tudo, mas, em se tratando do universo das emoções e, ainda mais, das fantasias, a nossa diva se perde. Se perde fugindo exatamente do que é mais precioso para ela: a realidade. Mas como assim? Não foi dito que, para os virginianos, a segurança está exatamente aí? Pois é, mas, quando a realidade vem desacompanhada dos sonhos porque estes podem ser muito ameaçadores — afinal, ninguém garante que irão se realizar —, o virginiano, então, com medo de gerar expectativas e de se frustrar, age contra ele mesmo, deixando de acreditar naquilo que é capaz de gerar. Já vi virginianos negarem seus talentos e dizerem que uma determinada oportunidade

que bateu à sua porta não era para eles, afinal, seria bom demais para ser verdade. E, nas frestas da sua lógica estupenda, eis que se revela uma diva que se faz de vítima, que se sente a mais esquecida do universo.

Quando o polo oposto não está iluminado, aí sim o virginiano conhece o verdadeiro caos: ele mesmo. A Delia, como boa virginiana, não poderia ser uma exceção à regra. "Me perco em arrumações e chego a ficar angustiada com isso. Sei que o que quero atingir é impossível, e isso me leva muitas vezes a desistir — meu armário pode comprovar a loucura. Levei meses tentando catalogar livros e discos por ordem e estilo, época e gosto. Desisti!"

O reino das águas é o mistério que nossas abelhas-operárias devem desbravar. Nesse universo não existe classificações, nada tem nome e, se tiver, é disfarce, é fantasia que umedece o território da realidade para que não se torne deserto. Confiar, acreditar no que não se vê é, talvez, a maior e mais nobre tarefa das nossas obreiras zodiacais.

As virginianas da minha família: Luna, Mel e Beatriz

Imaginem: logo para mim, daquelas típicas piscianas que fogem de detalhe feito o diabo da cruz, foi dada a tarefa de criar duas filhas virginianas, uma com o Sol e a outra com ascendente em Virgem. A mais velha, segundo as tabelas da gestação, estava programada para ser do signo de Leão. A probabilidade de que nascesse no signo regido pelo Sol era muito grande. Desde o começo, então, me preparei para lidar com a pequena rainha que iria ocupar o centro do palco familiar. O tempo foi passando, passando, e quando ela respirou pela primeira vez, o Sol tinha acabado de ingressar no signo de Virgem. O.k. Respira você também e mergulha nas suas sombras, eu dizia para mim mesma, ainda às voltas com as primeiras mamadas da minha pequena dama virginiana.

Independentemente de signos, fui tentando organizar minha rotina, o que, a partir daquele dia, iria mudar meu jeito de ser para o resto da vida. A moleca precisava de silêncio absoluto e hora certa para mamar. Se acontecesse algum transtorno, ela reclamava, e como! Aos trancos e barrancos, eu me acostumei a ter hora para acordar, hora para almoçar, hora para ir ao banheiro, hora para dormir, hora para namorar. É claro que não consegui fazer isso assim direitinho como estou dizendo, mas que aprendi tudo de organização, isso sim aprendi. Queria muito ver uma pessoinha de Virgem crescer, assim eu teria a chance de iluminar minhas sombras muito aos pouquinhos. Meu primeiro impacto com a característica virginiana de se ater aos detalhes foi no dia em que flagrei aquele bebê que engatinhava paralisado, olhando para um inseto minúsculo no meio de um tapete felpudo. Ela foi além. Pinçou o microanimal entre os dedos e continuou observando, hipnotizada. Ela examinava o bichinho com tal concentração que não me preocupei se seria mordida, se ficaria alérgica, essas coisas em que qualquer mãe se liga. Aprendi a ter paciência e a não deixar escapar de mim as pequenas percepções. Hoje, elas são sagradas. Já fazem parte do meu jeito de ser no mundo. Talvez inspirada pelo inseto, Luna é veterinária e fez mestrado em Parasitologia.

Passados quase cinco anos, veio ao mundo a segunda filha, que, como era previsto, nasceu com o Sol no signo de Capricórnio. O.k. É terra. O.k. Mais aprendizado. Entendi! Durante o trabalho de parto, eu acompanhava o passar das horas visualizando mentalmente qual signo estava ascendendo no horizonte naquele momento. As horas foram passando e os signos, também. Igualzinho ao movimento da roleta dos cassinos, a roda vai parando, vai parando, a hora do parto vai começando e, finalmente, ela nasce e a roda aponta para qual ascendente? Já sabem! Virgem!!!

É, acho que eu ainda tinha muito mais a aprender.

As duas cresceram e me mostraram que a organização de um virginiano não acontece necessariamente arrumando o armário segundo um degradê de cores, e que as coisas em volta ficam, sim, bagunçadas. Esses estigmas atrapalham quem quer levar a Astrologia a sério. A organização que vejo tanto nelas quanto em tantos outros desse signo se dá mesmo é na mente. O planejamento, o discernimento nas escolhas, a praticidade para resolver questões que, para mim, são simplesmente um inferno. Isso é a potência à qual o signo de Virgem está associado.

Para completar a farra virginiana da família, minha segunda neta, Beatriz, nasceu sob as bênçãos desse signo. Quando vi a filha crescida que me regulou os horários vivendo com sua cria um novo ritmo de organização, a mesma maneira de exigir a atenção da mãe quando mamava, as madrugadas com horários regulares de sono e vigília, então entendi que o espelho também perguntou a ela se existia alguém mais virginiano do que ela. Deixo a resposta para quem convive com um outro do mesmo signo.

SOMBRA EM ÁRIES

DESENVOLVER

Iniciativa

Coragem

Autoconfiança

LIBRA

LUZ EM LIBRA

QUALIDADES

Equilíbrio
Diplomacia
Delicadeza

BALANÇAS

Um ponto curioso a respeito dos signos do Zodíaco é o fato de Libra ser o único signo representado por um objeto, a balança. Todos os demais são criaturas dotadas de vida, seja bicho, seja gente, seja uma mistura estrambólica dos dois. Os outros dois objetos que a gente encontra espalhados pelo Zodíaco — o jarro, o arco e flecha — estão nas mãos de um centauro e de um humano. Muito mais curioso ainda é saber que, na mitologia grega, a balança foi levada ao céu e transformada na Constelação de Libra pela deusa Astreia, a que foi constelada sob a forma da Virgem. Bem, a historinha é a seguinte: Astreia era filha do poderoso Zeus e de Têmis, a justiça, a ordem eterna, muito bem representada na balança que Astreia carregava nas mãos. A deusa vivia numa época chamada de Idade do Ouro, semeando entre os homens a justiça, a bondade e a paz. Mas, como os humanos estragaram tudo, se corromperam e produziram guerras, Astreia se exilou no céu sob a forma da Constelação da Virgem, levando com ela a balança, que ganhou uma constelação com o nome de Libra.

Por aqui, já podemos começar a entender o modo de ser de um libriano. Primeiro, vamos considerar que a balança não é um objeto qualquer, simplesmente pousado para enfeitar a mesa da nossa sala de estar. A balança é um instrumento feito para medir a

massa de um corpo. Segundo, a balança que representa o signo de Libra não é aquela que os peixeiros usam na feira, mas a que tem dois pratos. Nela, a medida é feita por comparação.

A primeira coisa que me vem à cabeça quando penso nos librianos é o quanto eles sofrem por conta das injustiças. É aí que os vejo cumprindo o seu destino de deusa Astreia e se refugiando com sua balança no céu do seu ideal de harmonia e paz. Pesa daqui, mede de lá, e o fiel da balança custa uma eternidade para ficar paradinho no meio. O sonho das nossas balanças zodiacais é que possa haver equilíbrio, e, ao contrário do que a maioria imagina, os librianos não são nem de longe criaturas equilibradas. Talvez, por se importarem tanto com esse tal equilíbrio, eles sejam os que mais demonstram a instabilidade. Os pratos da sua balança oscilam muito mais do que ficam parados quando são usados para pesar, para comparar uma coisa com outra.

Uma libriana que arrebatou meu carinho e admiração no dia em que a conheci foi a Mariana Roquette-Pinto. Desde essa vez, percebi que a Mari emanava uma luz especial através de um sorriso que me encantava, e já de cara tive uma vontade louca de ser sua amiga. Como não cresci no lugar que adotei para viver, as pessoas foram entrando na minha vida através do meu trabalho, seja como clientes, seja como alunas. Mari era cliente e aluna. Hoje é uma das minhas melhores amigas, daquelas com quem a gente pode contar para tudo, que marca jantar, vinhozinho, cinema. Ela está entre os amigos para quem desabafei os piores momentos da minha vida, e, com a calma que compete a uma boa libriana, foi ajustando os meus pratinhos, que, na ocasião, eu nem sabia que existiam mais. Não acho que sua presença foi um acaso no momento em que recebi uma das notícias que mais desequilibraram a balança da minha vida. Não poderia ser outra pessoa. Foi ela que o universo escolheu para estar do meu lado.

Uma das características mais visíveis de um libriano é a delicadeza. Dificilmente ele vai chegar botando o pé na porta. E foi assim que a Mari foi chegando e me mostrando na prática o que é ser uma libriana de verdade: "Nasci libriana e desde muito cedo olhei para o mundo como uma guardiã da justiça, sempre procurando equilibrar os pratinhos da balança, que insistiam em permanecer desalinhados. Ansiava por um mundo justo, equilibrado e, se possível, perfeito. Um desejo obviamente condenado ao fracasso".

Para as balanças zodiacais, o ideal de equilíbrio é, como diz a Mari, um passo para cair no abismo da frustração. O mesmo acontece com o ideal de justiça. Faz muito, muito tempo que Astreia subiu para o céu e lá ficou, constelada com sua balança. Quando vejo o quanto os librianos sofrem com as desigualdades, com as traições, com a podridão do mundo, imagino milhões de balancinhas penduradas na mão da deusa virgem.

Falando em equilíbrio, os rins são regidos pela Libra. A sua simetria – um de cada lado – somada, entre outras funções, à de equilibrar os eletrólitos no corpo e manter o equilíbrio do pH do sangue, justifica a relação que os antigos fizeram entre os rins e o signo da balança.

Ah, mas tem uma coisa que não posso deixar de mencionar. Não pense você que os librianos são santinhos, justos da cabeça aos pés, que primam por estar sempre em harmonia com todo mundo. Eles são como todos os mortais deste nosso mundinho pra lá de desequilibrado. A diferença entre eles e os outros é que eles se preocupam o tempo todo em consertar o que deu errado, em cultivar a harmonia e a paz. Para eles, um conflito é um desespero, uma briga os deixa completamente fora do prumo e, se puderem, vão evitar ao máximo entrar na barafunda. Eis o ideal libriano de harmonia posto acima da realidade.

Quando a Mari era criança, não tolerava brigas e discussões. "Quase sempre as brigas me faziam chorar. Ninguém fica bonito quando está com raiva e, você sabe, senso estético é outra coisa que

os librianos prezam muito. Essa disposição para buscar harmonia acabou me colocando muitas vezes no lugar da mediadora de conflitos, fosse na família, na escola ou, mais tarde, nas reuniões de condomínio. Desenvolvi sutis habilidades diplomáticas, o que me trouxe alguma alegria, mas também deu, e ainda dá, um certo trabalho".

Quando o libriano compreende que o seu ideal é uma força que pode dar impulso às suas ações, então ele corre muito menos risco de ver seu desejo ir para o buraco. Os que nasceram sob o signo da balança zodiacal são excelentes conciliadores, e, mesmo que fujam das confusões, quando são chamados — e normalmente são eles os eleitos — veem sua coragem sair da toca e lutam com todas as forças do seu ser para que tudo acabe na mais santa paz de Deus. O fato é que, se não houvesse tumulto, talvez a Idade de Ouro não tivesse sido eliminada da face da Terra e Astreia ainda estivesse aqui entre nós. É por esse motivo que os librianos devem entender que os desentendimentos acontecem e que, se ficarem o tempo todo se segurando para não entrar em conflito, um dia a coisa estoura e eles passam a ser um dos signos que mais perde a cabeça por não saber como enfrentar uma briga ou discussão.

Por conta desses desequilíbrios é que poucos entendem um rompante libriano. "Não era para serem calmos, ponderados, gentis e elegantes?", perguntam. Pois nem sempre é assim. Só quando entendemos o que motiva uma pessoa a agir de determinada forma é que conhecemos de fato o que ela é, como se sente e o que deseja. No caso dos librianos, o que os impulsiona é o senso de justiça, a busca por harmonia e o desejo de paz.

Musas

Numa das versões da mitologia grega, as Musas são filhas da Harmonia, e a função delas é iluminar o pensamento e acompanhar os reis, soprando nos seus ouvidos palavras de persuasão, capazes de acalmar as discórdias e trazer de volta a paz entre os mortais[3]. Os librianos são as musas do nosso Zodíaco. Eles são capazes de usar o pensamento de maneira brilhante, inspiradora e pacificadora. Quando precisar de um bom mediador, procure um libriano. Ele sabe apagar um incêndio melhor do que qualquer outro signo.

Tanto a balança quanto a musa nos levam a pensar sobre a racionalidade dos librianos. Pôr na balança é pesar o outro lado do "eu", o "você", e, para conseguir de fato olhar o outro, precisamos nos distanciar bem de nós mesmos para, quem sabe, podermos enxergar o outro como ele é. O que pode ser melhor que a razão para conseguir realizar essa façanha? Pois é! Os librianos são, antes de mais nada, racionais. Ser musa é ter a mente limpa de prejulgamentos para que baixe o santo da inspiração. E eu diria que alguns librianos me ensinaram o quanto existe de poder na mente e que os pensamentos influenciam em todo o nosso modo de ser.

Eu tenho um grupo de amigas, só mulheres, as Amoras. São cinco Amoras, e, quando a gente pensa em uma, automaticamente pensa nas outras. Três são mineiras. Duas são librianas. Assim como eu, Maria Lucia Mattos, a Maria, não é mineira. Nasceu em Niterói. Ela é uma das Amoras librianas. Falando com ela sobre medicina alternativa, a Maria me disse que, coincidentemente, estava estudando o poder da mente. "Interessante você se conectar comigo neste momento. Tudo que eu estou estudando agora é sobre energia, conexão e sobre a importância de a gente entender que a maior parte da nossa mente é programada. Então, se ela foi programada, também podemos desprogramá-la. Sinto que tenho um papel junto às pessoas de quem eu intuo que devo me

[3] BRANDÃO, J. S. *Mitologia grega*. Petrópolis: Editora Vozes, 2015.

aproximar. Eu não fico falando 'eu estou aqui pra te trazer uma coisa interessante para pensar'. Não, eu não anuncio claramente, porque assustaria o outro. Então, vou com muito afeto, sem ser piegas, às vezes colocando limites verdadeiros, para que ele cresça, para que ele aprenda, mas tentando sempre ter cuidado para que essa contribuição seja para ele verdadeira".

A relação dos librianos com o pensamento e com a racionalidade pode deixar transparecer para muitos que eles não têm sentimentos. É óbvio que eles são sensíveis, mas suas emoções não afloram assim sem mais nem menos, pelo simples fato de que eles se atrapalhariam quando quisessem acabar com um bate-boca. Os librianos não gostam de chafurdar na lama como alguns dos seus irmãos zodiacais e, quando resolvem mergulhar no charco, são péssimos em lidar com essas situações. Por isso, o melhor lugar para exercerem suas forças é na posição de juiz do jogo. A competição é complicada, já que o libriano dá importância ao que o outro sente e adquirir um adversário é a pior coisa que poderia lhe acontecer. Mas, às vezes, a própria tendência a pôr panos quentes nos conflitos e a não perder a razão quando a coisa está esquisita irrita tanto as pessoas que ele acaba, sem saber por que, ganhando vários desafetos ao longo da sua existência.

Pensar, para o libriano, é vida. Podemos dizer que nossas musas zodiacais passam praticamente o tempo todo refletindo, ponderando, meditando. Afinal, quando são chamadas, elas têm a obrigação de falar direitinho, de inspirar o outro quando lhe faltam ideias na cabeça. Um libriano que se preze pensa antes de falar, mas pensa muito mais antes de agir. Tomar uma atitude, fazer uma escolha pode ser motivo para grande desespero. "Seja para não criar atrito ou por necessidade de agradar", diz a Mari, "uma boa libriana sempre patina na indecisão. A simples tarefa de escolher um prato no cardápio, ou decidir qual filme assistir, pode se transformar num tormento. Tem horas em que é impossível escolher! E não adianta pressionar, porque é aí mesmo que a mula empaca".

Filhos de Vênus: amantes e artistas

O outro lado da moeda é pensar nos dois pratinhos da balança como o "eu" e o "você". Vamos lá! Para haver justiça é preciso que a gente seja imparcial, e, para que a gente não penda nem para um lado nem para o outro, os dois lados devem ser ouvidos. Não adianta querer puxar a brasa para o seu assado. Isso poderia ser qualquer coisa menos o espírito libriano. Mas, só para não deixar dúvidas, não é verdade que os librianos não têm seus desejos, suas vontades, suas opiniões e tantos "seus" e "eus". Eles têm, sim! E como! Mas o que lhes interessa de fato é que os seus "eus" possam entrar em acordo com os "eus" dos outros e, então, juntos, criar um "nós".

O signo da Balança está associado ao planeta Vênus, que, na mitologia grega, é a deusa do amor, da beleza e da arte. Ela é movida pela paixão, mas passa o tempo todo procurando o parceiro ideal.

Muitos librianos vivem em busca de um relacionamento perfeito. Enquanto não acham — se é que vão achar um dia —, eles vivem de encontros e desencontros, e de muitas paixões que não satisfazem seus padrões ideais de beleza e harmonia. Há muito tempo, um cliente meu que beirava seus 60 anos, depois de eu passar um bom tempo traduzindo a importância dos relacionamentos na sua vida por conta de uma forte posição em Libra, sintetizou tudo com "eu não nasci para ser ímpar, eu nasci para ser par". Outro exemplo foi o de uma libriana que faz mapa astral desde os 11 anos. Acompanhei todas as suas paixões, desde a adolescência até os dias atuais. Quando ela, ainda muito menina, se

separou do primeiro marido, como quem não quer nada sugeri que desse um tempo e curtisse a solteirice do momento. Passados seis meses, novamente estive com ela, que, meio de lado, meio sem graça, me disse: "Eu, que nasci com uma aliança no dedo, como não poderia deixar de ser... casei!".

Tomadas pelo espírito da deusa, o amor é, além da justiça, a força que move a vida das nossas musas astrológicas. "Sempre gostei de partilhar minha existência com outras pessoas, ter alguém para dividir o pôr do sol, a pipoca ou aquela longa viagem de carro", me disse a Mari numa conversa outro dia. "O outro me ensina e complementa a minha vida, que fica bem mais divertida com as parcerias. Não dá pra imaginar ver uma coisa incrível e não ter para quem mostrar, nem que seja em pensamento, 'fulano ia adorar ver isso!'". Não é só o amor erótico que encanta um libriano. "Um libriano tem sempre alguém do lado, ainda que o lado seja o de dentro. Mas também é fácil se perder no outro", complementou a Mari. Esse é um detalhe que não pode ficar de fora da nossa análise, mas vou falar mais a respeito quando comentar sobre a sombra de Libra.

A deusa não é só a do amor, é também a da beleza e da arte. Ah, a estética! Como ela é fundamental em tudo que um verdadeiro libriano experimenta! Ele é fatalmente atraído pelo belo e pela harmonia das coisas, das pessoas, das ideias, de tudo, enfim.

A segunda Amora libriana é também mineira: Marta Luz, a Martinha. Cineasta, olhar de artista, quando me contou a história de uma poltrona que mandou estofar eu fiquei imaginando o sofrimento da minha amada Amora. "Eu tenho uma poltroninha superbonitinha que eu amo e que estava com um rasgo no forro já havia algum tempo. Como sobrou um dinheirinho, e tentando ser rápida e prática, resolvi procurar um estofador aqui perto de casa mesmo e achei três endereços. O primeiro era uma loja empilhada de móveis antigos onde fiquei uma hora com dois atendentes meio dissimulados, vendo catálogos de pano sem conseguir achar uma estampa de que eu gostasse. Saí de lá com um orçamento entre 600 e 700 reais, sem o tecido. O segundo endereço era um lugar bem mais agradável, uma oficina que ficava no fundo de uma casa. Fui atendida pelo estofador em pleno trabalho. O sr. Geraldo e sua mulher, extremamente simpáticos, com aquele sotaque de mineiro gente boa, tinham, por coincidência, uma sobra de pano de algodão cru listrado de branco e azul igual ao modelo original da poltroninha. Eu mostrei a foto da poltrona, dei as medidas e o preço ficou em 500 reais com o pano. Quando saí, o terceiro lugar já estava fechado. Fiquei com o sr. Geraldo. Como ele marcou e não apareceu, acabei deixando a poltrona na portaria para ele pegar. Quando ele trouxe de volta a minha poltroninha estofada, foi um choque, amada, um desespero, uma tristeza profunda! Parecia que eu tinha perdido uma perna quando vi a poltrona. Eu queria que ele saísse logo da minha frente porque eu estava com medo de chorar na frente dele. A poltroninha estava deformada. Ela tinha listras horizontais e ele fez na vertical, com dois cortes cujas emendas não mantêm a simetria perfeita. Comecei a apontar os defeitos, ele se defendeu, mas, no final, admitiu que estava errado. Queria levá-la de volta para refazer e, imediatamente, fiquei com pena dele, comecei a achar que a culpa também era minha, que eu não tinha conversado com ele direito e acabei deixando que levasse a poltrona para consertar, me livrando da sua presença e tentando avaliar melhor depois do susto se tinha ficado tão horrível assim. E o mais triste é que, quanto mais eu penso, mais aparecem novos defeitos, e acho que ele não vai conseguir consertar o estrago que fez". É a estética na veia! Mas não é só a estética que aparece como caso de vida e morte. O conflito entre a raiva que o libriano sente quando vê algo que lhe desagrada e a compreensão da limitação do outro é um dos maiores infernos da sua existência. É aí que sua capacidade de mediação e conciliação é testada.

A Maria é artista plástica. Curiosidade: das cinco Amoras, eu sou a única que não trabalha com arte, apesar de ser uma fã do belo. Voltando à Maria, ela diz que, na sua vida, a estética é usada não só no corpo, na roupa, no cabelo e na parte material, mas também expande a beleza e a harmonia para uma energia mais sutil. Ela leva essa beleza e essa harmonia para o afeto, para a amizade, e isso influencia a outra pessoa, que passa a vibrar numa energia mais tranquila.

Já a Mari diz que, "para ajustar o fiel da balança e encontrar novamente o tão almejado equilíbrio (interno), um bom parâmetro é o da sensibilidade. Tudo que é belo, tocante, sincero, tem o poder de colocar novamente uma libriana em movimento. A arte sempre foi para mim um parâmetro relevante e uma forma de expressão. Eu e o outro que mora em mim entramos em acordo, num lugar em que sentidos e coração se encontram, território pacífico onde os pratinhos da balança parecem, enfim, se equilibrar".

A sombra de Libra: a competição

Já comentei que um libriano que se preze não é competitivo, certo? Conscientemente, sim. Mas vamos entender a sua sombra. Todo o signo está diretamente relacionado com o seu oposto, nesse caso, Áries. A luz que emana de Libra projeta sombra na força representada pelo carneiro, que tem a ver com coragem, poder de decisão, autoconfiança e iniciativa própria. Acredito que você já tenha ouvido falar na famosa insegurança libriana e na tendência que a pessoa desse signo tem de se deixar de lado, porque está o tempo todo querendo agradar o outro. Isso tudo pode até ser verdade, mas a coisa não é tão simples assim. Vamos voltar aos pratos da balança e imaginar que um prato é o "eu" e o outro prato é alguém que espelha aquilo que o "eu" deseja e, na maioria das vezes, é capaz de ser. Enquanto o libriano não olhar para o "eu" dele, que está na sombra, e se agarrar com unhas e dentes à sua força, continuará acreditando que o outro é sempre mais inteligente, mais criativo, mais forte, enfim, muito melhor do que de fato é.

A Maria tem uma história que fala exatamente dessa projeção e idealização que um libriano faz do outro quando o que ele tanto admira na outra pessoa é aquilo que ele mesmo tem e não conhece ainda. Quando ela conheceu o cara que viria a ser o pai do seu filho, não tinha consciência de si mesma como artista, como pessoa criadora. Acontece que ele era um artista plástico de renome. Nas palavras dela: "Ele despertou em mim o meu lado artista, só que eu não conseguia ver isso. Só via ele, só reconhecia ele, ficava em estado de graça. Ele é o artista. Que maravilha, eu vivendo com um artista! Fiquei aprendendo tudo sobre o mundo que ele estava trazendo para o relacionamento". A Maria viveu muitos anos com ele, tiveram um filho e depois se separaram. Hoje, consciente da sua sombra, exerce de maneira absolutamente singular sua criatividade e mantém um relacionamento de carinho e respeito com o parceiro que a ajudou a iluminar a sua sombra.

Para finalizar, falta falar sobre a famigerada dependência do libriano. Antes de mais nada, repito que nossa Balança zodiacal tem seus desejos, sim. Quando o signo é analisado levando em consideração as coisas chamadas negativas, o que eu mais ouço é que um libriano não sabe o que quer, não tem opinião nem vontade própria. Isso não é verdade. Se fosse, a Mariana não administraria com tamanha competência a pousada das fadas e duendes, a Martinha não passaria dos primeiros *frames* de um filme quando se senta em frente a um computador para montá-lo e a Maria não estaria enfrentando a árdua batalha de expor e buscar novos caminhos para sua arte.

O que acontece à vera é que o libriano precisa se sentir amado, muito amado. O amor nutre sua alma, mas, quanto mais ele se torna dependente desse amor, da aprovação e do olhar do outro, mais difícil será para ele confiar no seu jeito de ser e de fazer as coisas. E, como sua vontade está lá escondidinha debaixo das cobertas da aprovação exterior, sua tática será fazer com que o outro compre a sua ideia. Essa estratégia denuncia sua sombra competitiva. Ele deve convencer o outro de que o que ele mesmo pensa e quer é o melhor. Em alguns casos, chega a ser ridículo quando o libriano dá bandeira de que está disputando feito criança quem é o mais foda. Em geral, ele disputa disfarçado de diplomata, e pode não ter ideia de que está sendo competitivo. Alguns evitam o estresse que é viver nessa competição e optam por concordar com coisas em que não acreditam ou que não querem fazer. Mas, se continuar concordando quando deveria dizer um belo não, então o libriano não conseguirá apagar o incêndio provocado pelas próprias explosões.

Os librianos da minha família: José Maria e Luna

Que eu me lembre, convivi com apenas um libriano na minha infância, meu avô por parte de pai, José Maria Lisboa. O vô Lisboa — era assim que os netos o chamavam — era um português que veio para o Brasil com 12 anos, sozinho, e que, por conta própria, deu um fim no seu sobrenome e inventou um novo. Trocou "Calhandra" por "Lisboa". Fico cá com meus botões me imaginando Claudia Calhandra. Estranho. Mais estranho ainda é constatar que um libriano tivesse já nessa idade autonomia e independência para fazer o que fez. Havia um oceano entre Portugal e o Brasil para ser atravessado, e não era fácil na época embarcar num navio sozinho e, de cara lavada, chegar a um país desconhecido e começar uma nova vida. Nunca soubemos como ele fez para não ser barrado, para não ouvir um "Sai daí, moleque! Você pensa que vai aonde?". Bem, já que não temos nenhuma pista, viajo na minha fértil imaginação. Como bom libriano — e ele era do tipo manipulador —, ele deve ter usado toda a estratégia diplomática do mundo para alcançar os fins que desejava. Eu sei que ele aportou no Rio de Janeiro, só não sei se foi de mala e cuia. Talvez não. Quem sabe não foi por esse motivo que abandonou o Calhandra para ter na sua mala emocional a memória da capital de Portugal, sempre disponível para preencher a alma de um português melancólico? Eita imaginação pisciana! Tudo que um libriano não costuma ser é melancólico. O.k., ele talvez não fizesse tanto jus ao signo, mas, para ser justa, seria irresponsabilidade minha avaliá-lo, já que convivi muito pouco com esse meu avô. Muito pequena, quando tinha 7 anos de idade, fui transplantada do Rio de Janeiro para Porto Alegre, e lá fiquei até meus 24 anos. Durante toda a minha infância e adolescência, só encontrava o vô Lisboa nas férias, quando íamos eu e meus irmãos pegar um pouco de sol na praia de Copacabana. Nunca tive com ele aquela química que tinha com os meus avós maternos, a Cat e o vovô Daddy. Ele era, para mim, um avô distante, muito distante. O que hoje deduzo da sua alma libriana é que o "Lisboa" é o "outro" nele que o acompanhou a vida toda e que nos presenteou com um sobrenome forte.

Um presente que a vida me deu foi a oportunidade de criar, de conviver, de brigar, de me descabelar de tanto chorar e de me tornar amiga de uma filha que nasceu com o ascendente em Libra. A Luna veio ao mundo por um desejo ardente meu de ser mãe. E foi de repente. Do nada — claro que nunca nada vem do nada — eu meti na cabeça, com 21 anos de idade, que queria ser mãe. Em 15 dias, estava grávida. Não fui daquelas meninas que brincam de

boneca como eram as minhas amigas. O que eu gostava mesmo de fazer era recortar as revistas que minha mãe me doava e criar roupas para minhas bonecas de papel. Era o meu lado materno, associado ao estético, aflorando.

Foi com a Luna que fiz minha formação e especialização em assuntos librianos. A começar pelo fato de ela não suportar ficar sozinha quando era bem molequinha ainda. Ela precisava de gente e, naquela altura, gente eram seus pais. No começo, éramos nós que não a largávamos. Muito jovens, éramos nós que, sozinhos, cuidávamos dela, carregando a Luna para todo canto. Não sei como sua audição não ficou afetada de tanto show que frequentou quando ainda era bebê. Talvez sua librianice já estivesse desenhando o seu destino, quem sabe?

Quando a Luna cresceu, essa sua marca foi ficando diferente. Talvez para compensar essa dependência do comecinho da sua existência, ela passou a detestar grude. O que ela mais dizia era que jamais queria ter uma filha grudenta como era a sua irmã. Brincadeiras do destino à parte, hoje ela paga com a língua. Por outro lado, a Luna jamais toma um lado e, por isso, não é uma menina radical. Conversando outro dia com ela sobre Libra, ela falou: "Sempre tendo a entender o lado de uma pessoa, sem tomar partido. Acho que é isso ser libriana, não é, mãe? Sou meio em cima do muro quando se trata de opiniões". E aí eu repito para minha filha o que um grande amigo meu, libriano, um dia me disse, criticando o fato de chamarem os librianos de quem gosta de ficar *em cima do muro*: "Somos equilibristas, e quero ver quem consegue caminhar num fio segurando uma vara como se fosse uma balança e não cair, hein?".

Mas o que mais me marcou como sendo um olhar libriano foi o senso estético da Luna. Não vou falar aqui de roupas, maquiagem, cabelos e tudo mais que é atravessado pelo belo. Vou falar de outro belo, que só com ela eu pude conhecer. Estava a Luna frequentando a faculdade de veterinária, e me veio um dia com uma fotografia, dizendo: "Mãe, olha que coisa mais linda!". Ela me pegou distraída. Eu estava escrevendo e, quando olhei a foto, perguntei: "O que é isso, minha filha?". "É um protozoário, mãe!" Como?????

ESCORPIÃO

LUZ EM ESCORPIÃO

QUALIDADES

Transformação
Profundidade
Intuição

SOMBRA EM TOURO

DESENVOLVER

Doçura
Perseverança
Mansidão

ESCORPIÕES

O escorpião é um dos mais antigos animais terrestres que ainda vivem. São discretos, têm hábitos noturnos e, durante o dia, se escondem em lugares escuros, entre frestas, debaixo das pedras, folhas e troncos, ou enfurnados na areia do deserto. Os escorpiões vivem isolados; não encontramos o bichinho venenoso em bandos, dando mole. Assim também são os escorpianos: gostam de ficar na deles, não suportam ser invadidos e preferem se relacionar na intimidade a fazer um escarcéu no meio de muita gente.

Eu sei que nem todo mundo que é do signo de Escorpião vive na night. Mas muitos dos escorpianos que conheci preferiam a noite às manhãs ensolaradas, às praias cheias e àquele astral de quem acabou de acordar. O mundo deles é o mundo onde reina a escuridão, onde os gatos são pardos, onde a intuição vale mais do que a razão. Odeiam ficar expostos. Os escorpianos gostam de se isolar, são seres solitários, mesmo desejando ardentemente comungar emoções profundas com as pessoas eleitas por eles. E não é qualquer um que entra na intimidade, na solidão e na zona obscura da sua vida. Seu mundo só faz sentido com a luz apagada.

Meu encontro com a Julie Marie Safady, escorpiana, foi um desses encontros em que deixei as portas abertas da minha alma

para ela fazer o que bem entendesse. Senti confiança. Pronto. Ela faz parte da galerinha baby dos meus alunos que vi crescer. Hoje, além de ser uma amiga do coração, é uma excelente astróloga e trabalha comigo. Julie é uma escorpiana da praia, do sol e do mar, mas nada é mais ilustrativo para entender o seu lado noturno do que este seu comentário: "Acho que nenhuma frase faz mais sentido para mim do que 'Existe uma luz no fim do banho de banheira com luz apagada'. Terapias, conversas, orientações. Tudo isso eu consigo estando comigo mesma em um banho quente e — sempre — no escuro. Encho a banheira e desligo a água, fico ali, parada com ela. O mistério que a escuridão traz, o tanto que isso me revela, é o que me traz paz. Durante toda a vida, sempre que preciso tomar uma decisão, digo: vou para o banho pensar. E saio de lá com as minhas respostas".

Todavia, existem escorpianos que aprendem a mergulhar sozinhos depois de muitas descidas às profundezas da vida em comum com seus parceiros. É o caso de uma pessoa querida que herdei no pacote de amigos da minha filha mais nova. Mais uma escorpiana da galerinha baby. Carol Badra é uma baita atriz e figurinista. Conheci a Carol na companhia de teatro Os Fofos Encenam, levada pela minha filha para assistir a uma peça. Não lembro quando, nem em que dia, só sei que me vi sentada com a Carol no maior papo, crianças pra cá, maridos pra lá, e a gente foi se tornando amiga. É incrível como a vida vai renovando os amores e os encontros. Mesmo com uma enorme diferença de idade entre a gente, eu me sinto muito perto, muito amiga e grande admiradora da Carolzinha. E mais: sinto a densidade do signo de Escorpião no seu jeito instigante de olhar e nas pausas da sua fala. Numa de suas reflexões, ela comenta sobre o que é para ela mergulhar e estar só: "Mergulhar em mim... Me vejo sempre disposta a mergulhar com os outros, a estender minha mão. Tenho medo de mergulhar em mim. Mas são esses mergulhos que me fazem crescer. Estou me preparando para caminhar dez dias e mergulhar em mim. Vou só". Evidentemente que não se dá um pulinho ali na profundidade e "já volto". Acho corajoso por parte da Carol perceber o medo que dá encarar as sombras. Mas ela vai. E para este lugar só se pode ir só.

Ainda que saibam cutucar os outros, e como sabem, não admitem ser cutucados por ninguém a não ser por eles mesmos. É aí que entra o famigerado veneno do bicho. Há uma intuição pra lá de potente que a gente não encontra em nenhum outro signo. A diferença entre a sensibilidade do Escorpião e a dos outros signos é que, a dele, aponta para onde a coisa não anda bem, onde pode dar merda e onde não queremos mexer.

Serpentes e pássaros

Nos idos tempos da antiguidade, o signo de Escorpião foi representado pela serpente. É impressionante que, com o passar dos séculos, a serpente passou da categoria de bicho sagrado à fama de bicho do mal. O sagrado estava relacionado à sabedoria da terra, símbolo da força do feminino e da fertilidade. Rastejando, tocava os segredos da força da vida. O mal representava o demônio, as traições, a desconfiança e a mentira. A Dona Emy — era assim que carinhosamente chamávamos nossa professora — dizia que o Escorpião tinha duas almas: a da destruição e a da regeneração.

Não é muito diferente nos dias de hoje a associação do Escorpião com as forças negativas. Você ainda encontra pessoas que, ao ouvirem que você é de Escorpião, fazem imediatamente aquela cara de que não podem confiar, que você é meio do mal e que é bom manter uma distância segura para não se ferrar.

Quem primeiro me cutucou e disse que eu deveria escrever foi a Ana Madureira. Aninha mexeu em mim onde ainda existiam sombras e despertou o desejo adormecido. Essa escorpiana loura,

além de abrir as portas de um mundo até então desconhecido, sabe acolher como poucos os meus temores e os meus monstros interiores. Mas, quando estamos diante das luzes, vamos para o bar e brindamos com as amigas que ela trouxe no seu pacote escorpiano.

Realmente não deve ser fácil ter que encarar a reação das pessoas quando você diz que é do signo de Escorpião. A Aninha que o diga: "Até hoje lembro a primeira vez que alguém perguntou meu signo. Era muito pequena, devia ter uns 4 ou 5 anos, nem sabia direito o que queria dizer signo. Lembro também da cara de despeito que a pessoa olhou quando minha mãe respondeu: "escorpião". Fiquei meio atônita, sem entender o que eu tinha em comum com o bicho tão amedrontador. Passaram-se uns dez anos. Foi na adolescência que me aproximei, com minhas próprias pernas, da Astrologia para entender, afinal, o que tinha em mim de escorpião — e o que tinha de escorpião em mim. Aos poucos, fui criando um caso de amor com o meu signo. Uma espécie de orgulho enigmático, movido por uma sensação de que um escorpião mexe com áreas internas e 'submundos' muito próprios e não acessíveis para a maior parte dos mortais. Arrogância *escorpiônica*? Talvez... Aos poucos, este amor pelo signo foi se estendendo por todos os nativos — existe uma cumplicidade silenciosa entre os escorpiões, uma espécie de fio de ouro que os une e gera uma empatia fortuita, talvez porque todo escorpião paga o preço de um certo deslocamento na vida. E um escorpião respeita, em geral, outro escorpião. Algo na linha: 'O escorpião que há em mim saúda o escorpião que há em você'".

Bom, vamos entender através da força desse signo intrigante o que tanto incomoda gregos e goianos.

Sabe aquele olhar da cobra que hipnotiza passarinho? Pois o bicho astrológico do ferrão na cauda também tem esse poder, e como! Ninguém passa impune pelo olhar de uma pessoa de

Escorpião. É um olhar meio enviesado, do tipo que sabe o que você está escondendo e não quer mostrar. Concordo que às vezes é um tanto desconcertante. Quando acontece comigo, não sei onde me meter, dá vontade de pedir socorro para a primeira criatura que passar na minha frente, mas aos poucos, ganhando alguma intimidade, o olhar vai adocicando e eu me sinto acolhida. Deu pra ti, passarinho!!!

Brincadeiras à parte, uma das mais fascinantes qualidades desse signo é seu astral enigmático, uma energia que pulsa e que tanto atrai quanto repulsa. E, quanto mais repulsa, mais atraente é. Dizem que os olhos são a janela da alma, mas, para o nosso Escorpião, a janela que abre é a do outro. Ele tem o dom de penetrar nas profundezas, sondar o que está oculto em terras que não são suas. Uns revelam o que encontram, outros não dizem nada, mantêm quietinho o segredo, mas deixam claro que estiveram lá e que descobriram alguns tesouros e alguns podres que todos possuímos e que, em geral, não gostamos de partilhar.

Julie me fala que sempre, durante conversas mais profundas (que ela magneticamente atrai), as pessoas dizem: "Nossa, Julie! Como é difícil olhar no seu olho, dizer e ouvir isso tudo". Ela, sem entender o que acontece, ou achando que é pelos seus grandes olhos, pergunta: "Mas por quê?". E a resposta é sempre a mesma: "Parece que os seus olhos estão enxergando além de mim e indo direto onde incomoda". "Quer que eu saia?", ela, por educação, pergunta. "Não. É bom. Dói, mas eu já estou me sentindo melhor do que antes." Nesse momento, a sensação dela muda e passa a ser a de dever cumprido.

Ser enigmático faz parte da natureza do bicho que tanto causa temor quanto é praticamente inofensivo para nós, humanos. Incrível: uma cobra não vai te atacar só porque tem o prazer de te ver estrebuchando. Mas, se você pisar numa, o veneno vai dizer a que veio. Assim também são os escorpianos. Nenhum deles

sai por aí catando presas para lançar seu veneno mortal — nem sempre tão mortal assim, diga-se de passagem! Mas, se você ferir um escorpiano na alma, pode esperar que vem o troco. Pode ser daqui a muitos anos, mas vem. Eles não são do tipo "deixa pra lá, você não teve a intenção, até já esqueci!". Não mesmo! A nossa serpente astrológica é profundamente emotiva e sensível, pasmem vocês. Ainda que tal sensibilidade se esconda nas profundezas inacessíveis de um escorpiano, pode ter certeza de que se magoam com tremenda facilidade. A questão é que a ferida só é provocada por questões profundas, jamais com assuntos da superficialidade. Caso isso aconteça, saiba que muita coisa está acumulada e que foi apenas a gota-d'água que faltava para machucá-lo mortalmente. Falando nisso, papo ou experiência superficial para ele são profundamente chatos. Um escorpiano não foi talhado para ser sensível a pequenos dramas da rotina diária ou para viver no tédio. Jamais veremos a nossa serpente rastejando em direção à zona de conforto. Conforto para quem é de escorpião é um lugar de descanso para repor as energias gastas. E só.

A Aninha fala que, se tem alguma coisa de que ela não gosta no signo, é a forma como um escorpiano se sente ferido, muitas vezes sem clareza do que o feriu. "Ele é capaz de reagir com muita veemência, ainda que não precise exibir reação. Pode ser um processo discreto e silencioso, mas a facilidade de 'cortar' é assustadora. Existe uma frieza no corte. 'Você dá o cartão vermelho sem ter dado antes o amarelo', já ouvi de mais de uma pessoa. O se 'machucar-sentir-ser-ferido-e-ferir', muitas vezes, se dá no nível inconsciente, e, quando você se dá conta, já está promovendo o corte. É um processo estranho e avassalador. Muito impulsivo também. É difícil para um escorpião perdoar. Há de se trabalhar neste sentido..."

Outra característica da serpente que tem tudo a ver com o signo de Escorpião é o fato de ela trocar de casca. Ver o animal sair brilhante e renovado do refúgio da sua casca morta fez os antigos acreditarem na sua ilimitada capacidade de autorrecuperação e associá-la à imortalidade. Pois esse é talvez o assunto mais comentado nos livros sobre a força de Escorpião. A pessoa desse signo consegue se reinventar completamente depois de ter a vida toda devastada por fatos ou sentimentos que são capazes de destruir corpo, alma e espírito. Onde para muitas outras pessoas não há regeneração, para um escorpiano há. Parece milagre! Aquele ser que rasteja e lambe o chão do inferno se recolhe na sua velha casca, e, quando você menos espera, aparece rosado, cheio de vida, pronto para começar tudo de novo.

Mais uma simbologia associada ao nosso querido e misterioso Escorpião: a Fênix, uma ave lendária que aparece em várias mitologias dos povos da antiguidade. Reza a lenda que, quando a Fênix morria, ela entrava em autocombustão, e, depois de um certo tempo, das suas próprias cinzas nascia então uma nova ave. Acreditava-se que essas cinzas tinham o poder de ressuscitar um morto.

Carol passou nestes últimos anos por duas perdas importantes. Junto a outros da companhia Os Fofos Encenam, ela lutou com unhas e dentes para manter a sede onde eram montados os espetáculos. Sem fomento, pensaram em tudo, inclusive em alugar o espaço para outras companhias, mas não tinham vocação para administrar um espaço cultural. Tentativas daqui, buscas por apoio dali, Carol e seus companheiros foram obrigados a entregar o espaço. "A gente entregou o lugar muito mais bem cuidado do que quando o alugamos, com todas as melhorias. Não quisemos largar o osso, e, quando largamos, o entregamos com uma dignidade que não foi a dignidade que a gente tinha encontrado quando o alugamos. Bom, foi um ano sabático para os Fofos, onde cada um tomou um rumo. Não conseguimos produzir nada novo, muito menos nos encontrar. Continua sendo um processo em que as pessoas estão tentando que se reerguer." No mesmo período, outra companhia, a Balagan, onde Carol começou a trabalhar como atriz, pelos mesmos motivos dos Fofos, teve suas portas fechadas também. Mas foi nessa companhia que ela despertou seu talento como figurinista. Coisas de perdas e ganhos de escorpianos, Carol começou a trabalhar na Balagan como atriz com a Maria Taís, muito sua amiga, mas com quem profissionalmente não conseguia se relacionar. Foi aí que ela passou a ser figurinista na companhia, e foi a Maria Thaís que abriu essa porta para ela. "A nossa relação renasceu com esse olhar dela, que sempre me atentou a essa minha capacidade de morte e vida. Mas, com o fechar das portas da Balagan, eu reforcei minhas novas parcerias, com o Gê, com a Mel, com projetos novos, com espetáculo infantil. É uma energia nova na minha vida que eu precisava ter, muito mais iluminada, onde eu brilho muito mais, onde eu estou muito mais feliz. Reforcei também minha parceria com a Mandana, companhia parceira dos Fofos. Entendo que estou num período em que tenho que me reorganizar sozinha e estou fazendo esse caminho para me encontrar com essa escorpiana que eu sou. Aceitar, amadurecer, renascer."

No corpo humano, o signo de Escorpião rege os órgãos sexuais e o intestino grosso. O primeiro tem a ver com a vida e, o segundo, com o que não serve mais e deve ser eliminado e transformado. Semelhante ao simbolismo da serpente, a Fênix também está associada à regeneração e à imortalidade. É nesse contexto mitológico e simbólico que podemos extrair dois assuntos associados ao signo do Escorpião que são totalmente tabus na nossa cultura careta e preconceituosa: a morte e o sexo. Cada vez mais, a sociedade nos diz que não podemos morrer. Quanto mais tempo de vida, melhor. Não importa se é com qualidade ou aos tropeços. Sexo, então, nem se fala! A questão é a seguinte: morremos sim, mas reproduzimos também, e para tanto — pelo menos até hoje — é preciso fazer sexo. Morremos sim, mas a vida não. Cada um de nós é uma Fênix, uma semente de vida que não nos deixa morrer. Mas, na mais profunda interpretação da ave sagrada, o sexo no signo de Escorpião está associado ao encontro alquímico, à força regeneradora da sexualidade através do prazer. Pois então, quando uma pessoa do signo de Escorpião é atropelada por alguém que lhe perguntou qual era seu signo e fez aquela cara de desconfiança e de defesa ao ouvirem a resposta, eu aconselho a dizer: "O que você tem contra a morte ou contra o sexo?". A força paralisadora do veneno da serpente se fez presente e salvou mais um Escorpião de mais algumas acusações toscas.

Lagartas e borboletas

Quando penso na potência transformadora do signo de Escorpião, não tem jeito, eu imagino a metamorfose das borboletas. Aqui não se trata de renascer, mas sim de transmutar. Renascer é se fazer viver de novo. Transmutar é metamorfosear.

Um bichinho rastejante que só faz comer, comer, comer e guardar energia, de repente, se encasula, fica quieto um bom tempo, e... milagre! Sai de lá uma borboleta lépida e faceira, agora um bichinho que voa e poliniza. Sempre fiquei intrigada e megacuriosa para saber o que exatamente acontecia dentro daquele casulo. Lá nos idos de 1980, bem no comecinho da minha carreira, atendi uma escorpiana que me cutucou e se aninhou nas frestas da minha alma. Virou cliente, aluna, sumiu, reapareceu, sumiu novamente e agora frequenta religiosamente as aulas de quinta-feira. Eliane Trigo é bióloga e, claro, um belo dia, no meio de uma consulta, não resisti e perguntei: qual é o mistério oculto na metamorfose das borboletas? E ela me respondeu. E foi a partir daí que nunca mais deixei de relacionar o signo de Escorpião com o bicho que, primeiro rasteja no solo fecundante da terra, para depois ganhar a leveza do ar. O que acontece no interior do casulo é quase uma total destruição do corpo da lagarta, que se dá de dentro para fora. Algumas

células do tipo tronco que ficaram adormecidas na fase rastejante agora são as que constroem a borboleta. Fantástica metamorfose da natureza! Incrível o poder da nossa borboleta astrológica. E quem disse que Deus não dá asas a cobras? Obrigada, Eliane, de coração, por você existir na minha vida.

Ainda sobre lagartas e borboletas, com a palavra, Julie: "Quando eu fiz 15 anos, comecei um estágio em uma loja de moda, marcas de luxo. Desde então, maravilhada com tudo que tinha ali, trabalhei, trabalhei sem parar. Mesmo. Inclusive aos fins de semana e feriados. E fui crescendo ali dentro. E crescendo. Até que, aos 18, 19 anos, passei a fazer parte das compras nacionais e internacionais. Nossa, ganhava muita coisa. Comprava muita coisa. Tinha um salário absurdo. Tomava champanhe à tarde, fumava até cigarro, afinal, fazia parte do contexto. Eu era uma perua. Só usava salto fino. Amava, nem doía. Até que... um dia, minha amada-adorada-tia ficou doente. Muito doente. E foi morar na minha casa comigo, meus pais e meus irmãos. Durante o dia, eu ia para a loja e seus encantos mil, depois ia para casa zelar, entreter, abraçar, consolar e cuidar dela. Meu coração já dizia que tinha algo errado — e não, não era nada com ela. Era comigo mesma. O universo, sempre sábio, me manda um dia para a loja uma nova pessoa responsável pelo menu dos eventos que, nas horas vagas, era líder de uma comunidade budista. Me lembro de quando ele me disse: 'Florzinha, mantenha a mente atenta. Isto aqui — e tocava tudo ao redor — um dia acaba. Tudo acaba. Não se iluda. Encontre a sua essência'. Bem, na hora, fui para casa. Fui para a banheira pensar. E chorar, muito. Quase virei do avesso. Mas aí, como sempre, saí mais forte e mais consciente. Comecei a questionar aquelas duas realidades tão distintas, os excessos e o luxo daquela loja, e a minha tia, cada dia mais distante. Eu me revoltei. Do nada, tudo mudou. Tudo caiu dentro de mim, nada mais fez sentido. Fui para a loja, expus o que sentia, fui mal recebida, incompreendida, destratada. 'Não queremos te perder.' Faz parte, eu disse. Bem, não foi tão bonito assim porque, na verdade, eu causei uma cena inesquecível. Eu berrava, dizia minhas verdades. Talvez tenha machucado o sentimento de alguns, mas é isso. Eu implodi, eu explodi. Bem, no dia seguinte, peguei tudo que tinha — bolsas, roupas, sandálias, maquiagem — e dei tudo para minhas amigas e para um pessoal da Rocinha que era também meu amigo. Falei: aproveitem, é coisa boa. Nisso, minha tia partiu para as estrelas. A dor de ver ela sofrer era tão grande que, com a partida, senti paz. Isso é luz, eu pensei. Peguei um mochilão, com quase nada dentro, dei um beijo nos meus pais e fui para a Chapada dos Veadeiros. Fui rezar, fui me encontrar. Usei a mesma roupa todos os dias. Nem abri a carteira. Tomei banho nua nas águas termais. Comia o que rolava. Fiz dreadlocks. Fiz amigos, conversei com seres visíveis e invisíveis. Conversei principalmente com as estrelas. Nem sabia nada de Astrologia nessa época, mas o céu tinha muito a me dizer e eu me purifiquei. Cuidei do corpo e da alma. Quando voltei, meu pai foi me buscar no aeroporto. Eu estava descalça, meu sapato arrebentou. Meu cabelo era um ninho. 'Tudo bem, filha?'. 'Tudo na boa, pai.' Eu estava feliz. A espiritualidade e o desapego trouxeram sentido à minha vida, me ajudaram a entender meus propósitos. A morte da minha tia me fez acessar minha própria força, me mostrou que a vida é feita principalmente de renascimentos. Hoje, equilibro conforto com a busca espiritual. Cuido enquanto as coisas existem. Quando vão, foram". Não tenho mais nada a dizer sobre metamorfose depois de escutar a história da Julie.

Filhos de Plutão: indomáveis

Até a descoberta de Plutão, Marte, além de ser o regente de Áries, era também o regente de Escorpião. A gente diz que um planeta

♏

rege um signo por causa da semelhança dos seus simbolismos. Assim, outras características, além daquelas associadas ao temperamento do animal, também são consideradas importantíssimas para se entender como é ser e viver como escorpiano. Como já vimos no signo de Áries, Marte é o deus guerreiro nas mitologias grega e romana. Quem já não ouviu dizer que nossos escorpiões astrológicos são agressivos, explosivos e intempestivos? Posso afirmar que presenciei algumas cenas de guerra quando um escorpiano se perde nas suas emoções. A diferença do Marte ariano para o Marte da nossa poderosa serpente é que o primeiro representa o grito de guerra para enfrentar o inimigo e, o segundo, um grito incontido de desespero, raiva e comoção por ter que enfrentar algo que foge do seu controle. Controle talvez seja uma das mais profundas marcas da personalidade de Escorpião. Já viu algum relaxado? Eu nunca vi, nem mesmo nos braços de Morfeu.

Em todo o caso, sinto haver uma parte guerreira em todo bom escorpiano que se preze. Não tem para ninguém quando seu desejo vem à tona. Aconteça o que acontecer, faça o que fizer, ele o agarra com unhas e dentes e não larga a presa por nada neste mundo. Eis o nosso escorpiano obstinado. E põe obstinado nisso. Todas essas tendências têm a ver com o deus da guerra. Esse é o seu perfil. Lutar até o fim, custe o que custar.

Já Plutão é outro barato. O deus da morte reina nas profundezas de Hades — o inferno dos gregos, lugar onde a alma se purifica depois de morrer para reencarnar numa nova existência. A famigerada argumentação de que o planeta Plutão foi rebaixado para a categoria de planeta-anão e, por isso, deveria deixar de ser o regente de Escorpião, não tem nada a ver. O Sol e a Lua não são planetas também e são regentes de Leão e Câncer. E ninguém reclama. A palavra "planeta" vem do grego *planetai*, que quer dizer "errante". Os antigos astrônomos se deram conta de que certos astros no céu mudavam de posição, diferente das estrelas que eram fixas. Esses objetos celestes foram chamados de ásteres planetai, ou seja, estrelas errantes. Com o tempo, o termo foi simplificado para *planetai*. Bom, feito esse parêntese, a força associada ao deus da morte é uma força que vem de dentro, que não tem nome, que é pura. E essa força, quando é despertada, parece aquele monstro que brota do nada, apavorando o que encontrar pela frente. Seja para o bem, seja para o mal. Seja para se regenerar, seja para se destruir. Quando se trata de Plutão, os escorpianos não se dobram por nada, só mesmo para sua própria destrutibilidade.

A Aninha fala que "Os maiores voos — e também os maiores tombos de um escorpião — são movidos pela paixão. É nossa maior força e a nossa maior fragilidade, ao mesmo tempo. Um escorpião apaixonado é capaz de tudo, não retém nada, se joga e vai... E pode, inclusive, ser bastante destrutivo". Mas, como eu disse antes, quando eles não conseguem respirar mais, alguém do nada aparece e faz respiração boca a boca, reanimação cardíaca e a criatura que já não dava sinais de vida se levanta, perguntando o que aconteceu. "Foi mal", diz ela, depois de se dar conta de que quase foi parar na toca de Plutão.

A sombra de Escorpião: o apego

Bom, com toda a simbologia gritando em alto e bom som que tudo acaba, não fica nadinha de nada, tudo é transitório, a morte está pousada no nosso ombro à espreita e por aí vai, a conclusão que não quer calar é a de que o escorpiano é desapegado. Certo? Depende. Se ele se colocar ao lado da razão, então vai dizer que as coisas não têm valor, que não adianta ficar economizando porque a vida pode acabar logo ali, que ninguém leva para o túmulo as coisas materiais e assim por diante. Mas, se ele se colocar ao lado da sua sombra, ah, aí a história é outra. É história que tem a ver

com Touro, o signo oposto e, ao mesmo tempo, complementar de Escorpião. O apego é assunto que diz respeito ao bovino do Zodíaco, que sabe muito bem como lidar com as coisas da materialidade. No caso do Escorpião, o apego é vivido como sombra, como medo, como fantasma que assola as profundezas da sua alma. Já que ele sabe que tudo um dia se desfaz como nuvem passageira, ou se afasta para não ter o gostinho de possuir o que vai irremediavelmente perder, ou entra numa noia que só a nossa serpente astrológica é capaz de viver. O ciúme de um escorpiano é visceral, é do tipo que, quando desconfia, é capaz de provocar tanto o outro que acaba materializando o seu fantasma só para dizer: eu não tinha razão? E, claro, não de forma explícita, ele vai se vingar. Mas, afinal, se vingar de quem? No fundo, no fundo, ele acaba por se vingar dele mesmo. Acaba envenenado pelo próprio veneno.

O apego da sombra também produz uma obstinação cega, daquelas teimosias insuportáveis. Viver tendo que aceitar os limites da matéria é coisa absolutamente insuportável para o nosso alquimista. Afinal, chumbo não pode virar ouro? Quando o escorpiano entra nessa parada, sua caverna secreta é iluminada e aparece toda a sua tendência destrutiva e a acidez capaz de ferir quem quer que esteja na sua frente.

Outro aspecto da sombra de Escorpião que tem a ver com a falta do espírito preservador do Touro é ser quase um masoquista quando se trata da intensidade como vive seus sentimentos.

"Sempre me considerei uma pessoa muito, muito, muito sensível. Mesmo. Nem sempre de uma forma boa, daquela sensibilidade que atrai intuições e percepções. Muitas vezes é excessivo, concordo. Vou além do que determinada situação de fato representa. E, um dia, ouvindo minhas amigas falarem sobre as minhas 'noias', uma disse: 'Sabe o que parece? Que você gosta de acessar tudo com essa intensidade, e chega até a sofrer, só para depois, quando passa, você sentir o prazer dessa transformação emocional'. Me faltaram palavras, já que eu acabara de ser desconstruída. De fato, o relaxamento proporcionado pela luz que vem depois da visita às minhas belas sombras não tem preço..." É como a Julie descreve sua relação com a luz e a sombra de ser uma escorpiana.

Iluminadas suas sombras, ou seja, tomando consciência do valor que é preservar o que tem nas mãos, a alma de Escorpião relaxa e se transforma em entrega e brandura. É assim que suas energias se equilibram e seu poder passa a ser exercido construtivamente.

Nunca esqueci as palavras da Dona Emy se referindo à má fama dos escorpianos: "Não me falem mal dos Escorpiões! Se algum Escorpião te fere, sê consciente de que ele quer despertar em ti o que não querias ou não eras capaz de ver. Agradece a ele como agradeces a um cirurgião que te corta, mas que te cura. Mas vocês, Escorpiões, inspirem-se no signo oposto, Touro, e não esqueçam de dar anestesia, pois a dor do despertar pode ser suavizada com a tua doçura".

Os escorpianos da minha família: Madeleine, Bebeto e Eduardo

No momento em que nasci, Touro subia no horizonte do meu mapa astrológico, ou seja, meu ascendente é Touro. Daí Escorpião sempre ter sido uma das minhas grandes sombras. Muito tenho aprendido com as serpentes, aves de fogo e borboletas que cruzaram a minha vida. Sempre me senti atraída pelo mistério e carisma que ronda a aura dos escorpianos. E, graças aos deuses e deusas, eles também sempre olharam para mim com aqueles olhinhos enviesados de quem percebeu que ali havia uma química. A começar pela minha avó meio brasileira, meio belga, meio francesa. Além de ser ariana, Cat, como carinhosamente eu a chamava, tinha a Lua

♏

no signo de Escorpião. Para quem não sabe, a Lua fala das nossas emoções, da nossa sensibilidade, como reagimos àquilo que nos afeta. A Lua tem a ver com as relações de afetividade. Cat tinha o dom de me desconcertar, de me desconstruir, de me desmascarar. Mas tinha também uma puta habilidade de me encorajar a enfrentar o que me aterrorizava. Devo a ela a desconstrução de muitos tabus. Ela me dizia: "Você tem que ter um namorado em cada estado", isso porque eu morava em Porto Alegre e vinha passar minhas férias com ela no Rio de Janeiro. "É um absurdo o seu pai não deixar você usar biquíni, você fica horrorosa de maiô, magrela do jeito que é." Na verdade, tanto ela quanto o meu pai eram autoritários. Mas o veneno da serpente sagrada que morava na alma da minha avó, me dizia que eu deveria ir em frente, deveria ser dona do meu nariz e ela ainda me aconselhou: "case tarde, aproveite a vida, vá morar fora e depois pense nessa coisa de ter uma família". Bem, só uso biquínis, casei duas vezes, mas o resto vou deixar para a próxima encarnação. Nesta, o meu ascendente Touro não deu conta!

Falando nos meus dois casamentos, o primeiro foi com o pai das minhas filhas, Bebeto Alves, um escorpiano para ninguém botar defeito. Ele reúne uma série de características desse signo que, para não complicar, não cabe aqui enumerar. Mas acreditem que são muitos escorpiões reunidos. A intensidade, a profundidade e, principalmente, seu poder de regeneração foram as coisas que eu pude aprender com ele. Eu era bem superficialzinha aos 20 anos, quando nos conhecemos, apesar de ter praticado o zen-budismo desde os 17. Ele já era hippie, vivia de paz e amor e me encorajou a botar o pé na estrada. A convivência com ele foi me obrigando a entrar nas minhas alcovas e flertar com as minhas sombras. Com a nossa separação, tivemos o direito de viver com toda a intensidade do mundo, eu a minha sombra serpente e, ele, a sombra bovina dele. Com o passar do tempo, reconstruímos nossas vidas, formamos novas famílias, regeneramos nossas mágoas e transmutamos o nosso encontro.

O casamento com o Eduardo, Edu, como eu o chamo, aconteceu na minha maturidade. Das profundezas, pude abrir minha alma para a chegada de um homem que nasceu, como a Cat, com a Lua no signo de Escorpião. Ele acolheu minhas sombras sem deixar de modo algum de cutucar minhas feridas e denunciar meus fantasmas. Eu chamo o Edu de ninja, tamanha sua capacidade de enfrentar o sofrimento e de se regenerar dos tombos da vida. Como psicanalista, visita os porões da alma; como escorpiano, dá régua e compasso para que o outro possa realizar sua metamorfose de lagarta à borboleta. A minha, com certeza tem tido a mão desse parceiro intenso, profundo e, mais do que tudo, fiel ao sentimento que temos um pelo outro.

SAGITÁRIO

LUZ EM SAGITÁRIO

QUALIDADES

Humor
Otimismo
Foco

SOMBRA EM GÊMEOS

DESENVOLVER

Flexibilidade
Leveza
Agilidade

CENTAUROS

Meio bicho, meio humano, o centauro é uma figura mitológica que, como toda figura mitológica que se preze, tem muitos significados e uma variedade enorme de interpretações. O detalhe que faz toda a diferença, a cereja do bolo do centauro astrológico, é o fato de ele ser um arqueiro. O certo é que ele é um ser híbrido, uma mistura de cavalo, homem e flecha. Um pouco animal, um pouco humano e um pouco divino, esse é o símbolo do signo de Sagitário.

Por mais que eu tente de prima pensar na mitologia grega, minha memória me arrasta para os tempos em que vivi no Rio Grande do Sul e tomava, além do famigerado chimarrão, água mineral da marca Charrua. O logo era um índio montado no pelo de um cavalo a galope. Mais tarde, quando eu era estudante na faculdade de Arquitetura, tivemos que fazer uma pesquisa sobre a organização social, política e urbana dos índios Guaranis. Aproveitei a ocasião e também pesquisei sobre os índios Charruas, pois aquela imagem nunca tinha saído da minha cabeça. É aí que começa a minha associação com o animal astrológico exótico e a marca da água mineral.

Os Charruas eram uma etnia nômade que vivia no Uruguai, na Argentina e nos pampas gaúchos. Eles acreditavam que a cultura

e a natureza eram inseparáveis e formavam uma unidade. Para eles, todos os seres vivos, sejam eles humanos, animais ou vegetais, têm uma força comum que pode ser chamada de propriedade imaterial. Os Charruas acreditavam ser possível humanos e animais conversarem e, por isso, consideravam todos os seres como uma sociedade. Por exemplo, é a propriedade imaterial das árvores que possibilita, nos rituais de cura, que elas interfiram na saúde do paciente[4].

É incrível como isso tudo tem a ver com o que eu penso do signo de Sagitário e que me leva a crer na possibilidade de comunicação entre todos os seres, inclusive com os astros, coisa que nós astrólogos costumamos fazer.

Nesse sentido, a primeira coisa em que penso sobre os sagitarianos é sua habilidade de lidar com a natureza e com os animais. Entendam, nem todo sagitariano ama conviver de perto com eles. Muitos preferem se conectar com a mente arqueira, apontada para o alto, mas isso eu deixo para mais adiante.

Isabella Torquato, uma sagitariana com estrelinhas e louvor, começou o curso de Astrologia há mais de quinze anos, e, já nos nossos primeiros contatos, senti que ali brotava uma amizade do tipo irmãzinha de fé e camarada, o jeito bem sagitariano de entender uma amizade. Aconteceu mais ou menos assim: até então, eu tinha muuuuuitos gatos, mas, com a ida das minhas filhas para o mundo, alguns migraram com elas e me restou um casal de siameses, paixão de toda a família Lisboa. A Isabella era a pessoa mais alérgica a gatos que eu conheci na minha vida, e, diga-se de passagem, os gatos e os cachorros sempre fizeram parte da galera que escuta as minhas aulas. Bastava a Isabella adentrar a casa que seus olhos se amiudavam de tal forma que mal enxergava que gatos eram gatos

[4] Reportagem de Anna Liza Precht e Carolina Timm realizada em maio de 2011. Disponível em: <http://www.ufrgs.br/ensinodareportagem/cidades/charrua.html>. Acesso em 8 jun. 2018.

e humanos eram humanos. Eu e os outros alunos fomos nos acostumando a lidar com os espirros toda santa terça-feira. Quando já nem me lembrava de que existia uma alérgica na sala de aula, de repente, não mais do que de repente — só pode ser essa a explicação —, o instinto animal e o intelecto humano da centaura deixaram de se estranhar. A alergia foi pro escambau. Assim, sem mais nem menos. Integrados, animal e cultura, uma gata de rua adentrou o território bem protegido onde Isabella mora e ali se aboletou. Hoje deita nas almofadas, se enrosca no colo de Isabella e ronrona no seu cangote. E, pasmem, não há o menor sinal das lágrimas, nariz escorrendo e espirros infinitos que já levaram a sagitariana à loucura. Para completar, Isabella casou com o Chico, um escorpiano defensor da natureza e criador de um projeto de reflorestamento. Hoje em dia os dois cuidam dos cães ferrados e abandonados que adotaram. É a seta sagitariana apontando para a cura.

Falando em cura, na mitologia grega, o centauro do Zodíaco carrega a história de Quíron, nascido dos amores infiéis de Fílira com Cronos, o deus do tempo. Reza uma das versões da lenda que os dois foram pegos em flagrante pelo marido de Fílira e que, então, Cronos teria dado no pé metamorfoseado num cavalo. Fílira pariu um pequeno centauro e, envergonhada do monstro que havia gerado, entregou o filho para ser educado na escola que formava pensadores e mestres. Quíron se tornou então um grande sábio na mão dos seus professores. Um certo dia, quando seu aluno e amigo Hércules perseguia um centauro tido como do mal, este se escondeu no cafofo de Quíron. Por falta de sorte, Quíron foi ferido por engano na coxa por uma flecha envenenada do amigo. A partir desse dia, passou a ter que conviver com uma ferida que não curava, pois o veneno era mortal, mas também não matava, porque, sendo filho de um deus, ele não morria. Para amenizar a dor insuportável provocada pela ferida, Quíron pesquisava ervas, unguentos e chás e acabou descobrindo a cura para várias doenças.

Um fato curioso é que Sagitário rege as coxas, a articulação coxofemoral e a locomoção, pontos sensíveis dos nossos arqueiros astrológicos. Não é difícil fazer, então, uma rápida associação com a necessidade dos sagitarianos de ter espaço, de circular livres e poder ir sempre mais além. Quem já não ouviu falar que os sagitarianos amam viajar e que precisam se exercitar? Aqueles que estão mais próximos do cavalo a galope do nosso índio Charrua certamente não sossegarão se não tiverem nas mãos um plano de viagem ou uma maratona física para enfrentar. No caso da Isabella, essas duas coisas são quase como uma religião professada com a maior devoção. Além de estar sempre com o pé que é um leque pra viajar, ela ama correr e, salvo um ou outro dia de descanso, não deixa de ir à academia nunca. Um belo dia, do nada, a virilha doeu, mas doeu tanto, tanto, que para curar ela precisou de quase um ano de fisioterapia para voltar a correr. O fato é que, com a afobação típica dos sagitarianos, ela não alongava ou alongava mal e acabou distendendo a musculatura bem na altura da articulação coxofemoral. Diz ela que nunca ficou com os humores tão alterados quanto no período em que ficou parada.

"Adoro me exercitar", diz a Isabella, "e tem que ser pesado. Dar um passeiozinho não é exercício, é só lazer. Quando eu e meu marido viajamos – e é uma bênção ter um marido que ama viajar –, a gente anda desde que acorda, o que é bem cedo, até o final do dia. A gente faz tudo direto, sem paradas nem descansos (exagerados...) e aí, quando voltamos pro hotel, tomamos um banho e caímos mortinhos e felizes na cama. Certa vez, voltando de um lugar incrível que é a *Cuevas de las Manos Pintada,* vi uma manada de cavalos selvagens correndo pelo deserto. Foi mágico e lindo! Isso é uma coisa que vou lembrar por toda a minha vida."

Precisa mais para compreender que todos nós realizamos de uma forma ou outra o mito que nos foi destinado viver nesta existência?

Arqueiros

A flecha apontada para o alto pela parte humana do nosso centauro fala sobre o enorme espaço mental de que o sagitariano do tipo arqueiro precisa para viver. Não que ele não sinta ou viva o lado cavalo, sua metade animal. Porém, esta é posta à disposição dos alvos para onde suas setas são disparadas. O horizonte precisa estar à vista e livre de obstáculos. Para esse sagitariano, não importa se ele está enfurnado dentro de um quarto, num escritório, numa sala de aula ou lagarteando na areia da praia. Sua mente precisa de liberdade sem limites. O sagitariano tem o dom de enxergar mais longe e viajar nas estradas do seu labirinto mental. Suas flechas são disparadas para os alvos tidos como inatingíveis e seus exercícios e metas estão associados ao pensamento.

Minha professora, Emma Costet de Mascheville, a Dona Emy, dizia que Sagitário é o signo da eterna insatisfação. Acredito que parte dessa insatisfação favoreça suas conquistas e evite a acomodação, coisa terrível para um sagitariano de verdade. O que mais interessa à pessoa do signo de Sagitário não é a chegada à meta tão desejada, e sim percorrer o caminho, com todas as maravilhas, dificuldades e descobertas que ela faz durante suas buscas. Entretanto, assim que atinge seu objetivo, nada mais interessa, inclusive deixa de ter valor aquilo que ela tanto almejava. E lá vai o nosso Charrua cavalgar por novos pampas! Mas essa insatisfação constante pode ser puro desperdício de energia, o que não colabora nem para o equilíbrio dele, nem para a natureza que o cerca. Eu sempre digo que o sagitariano precisa aprender a reciclar suas sobras de energia, pois, assim, fará um bem para o meio ambiente.

Priscilla Salgado, minha aluna da turma dos "novinhos", da galerinha que traz ares de coisa nova para mim, fala sobre a forma como ela vive o signo de Sagitário: "Para mim, talvez seja a minha busca por liberdade, por entender o que é este mundo. Desde

criança, sempre me senti muito intrigada em relação ao que vim fazer aqui, o que é isto aqui, o que é esta existência. Todas as minhas experiências sempre foram cheias de significado, eu sempre fico fazendo relação entre as coisas que vivi com a história da minha vida, com a história do mundo, com a história da minha família, com experiências espirituais. Acho que, em última instância, eu filosofo muito sobre a existência".

Não é à toa que se costuma dizer que Sagitário é o signo dos filósofos. Não que sejam exatamente filósofos, certo? Mas que estão sempre filosofando, isso sim é a mais pura das verdades. Seja o Charrua a galope, seja o centauro Quíron, todo sagitariano busca um caminho, seja ele físico, intelectual ou espiritual, para que se torne mais e melhor do que ele é.

Colega da Isabella, tanto da turma de supervisão profissional como de signo, Teca Andrade é professora. A convivência com o humor, a alegria e a obstinação pelo saber da Teca me encantaram desde que a conheci. Do teto da minha sala de aula pendem dois móbiles presenteados por ela que me hipnotizam com a epifania dos seus movimentos. A Teca tem uma história que revela a grande luta entre o animal, o humano e o divino, ou seja, corpo, mente e ideais. Escutem só: "Quando eu tinha 23 anos, já com dois filhos, cismei que faria uma plástica na barriga. Como era dura e não podia pagar o Pitanguy — sim, só poderia ser com o Pitanguy —, procurei a Santa Casa, sabendo que ele atendia lá as pessoas que não podiam pagar. Pois bem, acordei às 4h30 da manhã e às 5h já estava na fila. Ao chegar, morri de vergonha de estar ali para fazer uma cirurgia estética com várias crianças na fila para operar queimaduras, lábios leporinos, mas nem assim desisti. Ao meio-dia fui atendida por uma médica que me informou que aquela seria uma primeira etapa e que ainda teria que voltar lá mais duas vezes. Uma para tirar a foto da minha barriga e outra para marcar a data da cirurgia. Olhei para ela e perguntei se não poderia fazer tudo naquele dia, afinal já estava havia 6 horas em pé numa fila enorme. Ela me disse que não e, eu, sagitarianamente, coloquei minha seta bem firme e disse para mim mesma: vou fazer tudo hoje. Pois bem, me despedi da médica e fui à luta da fotografia.

A moça que me atendeu para realizar a foto fez certo jogo duro, mas acabou dizendo que, se eu esperasse até as 14h, poderia quebrar meu galho. E assim eu fiz. Esperei até as 14h, mas fui atendida às 15h, saindo de lá com consulta feita, foto tirada e operação marcada para dali a 6 meses. Eu só teria que ligar uma semana antes da cirurgia para confirmar que estaria lá na semana seguinte, caso contrário, perderia essa data e teria que fazer tudo novamente: consulta, foto etc.

Bom, final da história, com 23 anos, dois filhos pequenos e trabalhando, adivinha se lembrei de confirmar a operação uma semana antes desses 6 meses? Não. Perdi a data, para a alegria da minha mãe canceriana, que me pedia para não fazer plástica, e fiquei só um pouco frustrada, porque, quando me lembrei daquelas crianças na fila, deu um alívio enorme ao deixar minha vaga para quem realmente precisava".

Outra característica de Sagitário que não pode ser deixada de lado de modo algum é o humor. Quando a flecha do arqueiro está apontada para o alto, significa que, para eles, é preciso pensar para cima, encarar a vida com otimismo e não ficar se lamuriando com bobagens. Afinal, a vida não pode ser uma vida chinfrim. Para um sagitariano, jamais se pode levar a sério alguém que se leva a sério demais. Você vai encontrar alguns que são tragicômicos. São o exemplo de como tornar a vida leve quando as coisas não andam nada bem.

"Eu sempre fui uma aluna mediana, às vezes tirava notas muito boas, às vezes, não. Mas eu sempre fui da galera da conversa, e acontecia muito de eu ter que me retirar de sala ou de ser expulsa pelo professor por crise de riso. Eu tinha crises de risos homéricas, tipo passar mal, de ficar chorando de rir, que é uma coisa bem do

humor sagitariano. Eu estudei no colégio Sion e no São Vicente. No Sion, tinha uma cantina, e na hora do recreio tinha um atendente, que era o Chico, e ele sempre me chamava de Sorriso. E foi muito engraçado, porque um dia ele deu um grito 'Aí, Sorriso?', e os meus amigos caíram na gargalhada. Então, eu acho que o meu sorriso, a minha gargalhada, a coisa do humor, sempre foram uma marca bem forte de uma sagitariana", disse a Priscilla, minha querida aluna Sorriso.

Filhos de Júpiter: juízes e professores

Júpiter é o planeta que tem a ver com Sagitário. Na Astrologia, dizemos que ele é o regente desse signo. Essa associação nos dá ainda mais informações sobre as características, a energia e as tendências de um sagitariano, além daquelas já faladas até aqui.

Júpiter é o deus que manda nos homens e nos deuses. É o senhor da justiça e lançador de raios e trovões na mitologia greco-romana.

Por ser o maior planeta do sistema solar e ter relação com o mais poderoso deus grego, o exagero também é uma das características do nosso centauro zodiacal. Tudo para ele deve ser muito, não se contenta com pouco, com coisinhas ditas pequenas. E aí é que é hilário, pois nas coisas pequenas ele também vai imprimir a força do deus, custe o que custar. Amiga de tempos imemoriais, Maria José Langone foi a aluna que me levou para dar aulas em São Paulo. Sagitariana, alargou meu horizonte carioca-gaúcho, e despertou em mim três paixões: por ela, pela cidade e pela ponte aérea, que, atualmente, faz parte da minha rotina. A Zezé é daquelas que, quando vão comprar uma xícara e encontram uma pequena, uma grande e outra enorme, ficam com a enorme, que nunca vai servir para nada na vida.

Júpiter tem uma personalidade poderosa e, ao mesmo tempo, explosiva. É só comparar a força e a violência de uma tempestade, quando os céus são invadidos por raios e nossos ouvidos por trovões, que num piscar de olhos a gente entende qual é a dele. Dizia-se que esses fenômenos eram provocados pela fúria de Júpiter. Pois assim também são os sagitarianos. Para eles, a lei é tudo, e, quando alguma coisa contraria ou foge dos seus princípios, lá vem mais uma tempestade. É bom nem sair de casa! Felizmente, os sagitarianos não costumam guardar rancor. Passado o mau tempo, tudo volta ao normal até a próxima mudança atmosférica.

Para mim, a grande potência que tem a ver com a simbologia de Júpiter é a potência do conhecimento. O deus, detentor da verdade, juiz que dá a sentença, tem associação com um perfil meio professor que todo bom sagitariano tem. É impressionante como sabem e também como acham que sabem. A maioria que eu conheço se sente um pouco dona da verdade. Mas há mesmo algo neles que prevê a resposta para suas dúvidas, algo que acontece quase num piscar de olhos. São do tipo que miram no que viram e acertam o que não viram. Nunca me esqueço de um moleque do signo de Sagitário jogando bola com o pai, que começou a lhe ensinar como se fazia uma certa jogada. O garoto, antes que o pai terminasse a lição, disse: "Eu já sei"! E não é que ele fez a jogada certa? Eis a intuição, que marca o jeito de ser da maioria dos sagitarianos.

Assim como são bons professores, alguns (não todos) são também excelentes alunos. Sua ânsia de aprender ajuda na escolha de bons mestres. O sagitariano é aquele que, quando descobre um bom médico homeopata ou uma boa manicure, espalha para todo mundo e convence que, para o bem de todos, o melhor é procurá-los. Bons profissionais crescem atendendo sagitarianos. Esse é o poder de expansão e de obstinação, típico das pessoas desse signo, usado a favor do desenvolvimento de si mesmo e de todos.

E saiba que, em geral, o nosso professor só aponta suas flechas para as grandes coisas. Com as pequenas, ele se irrita de tal modo que, às vezes, o cavalo responde com um coice de deixar qualquer um desnorteado. "Mas como assim? Por uma coisa tão insignificante?", diria o ferido desavisado.

Da mesma maneira, como se irrita com tais "coisinhas", também é um belo de um desastrado quando solta a primeira coisa que lhe vem à cabeça. Essa é a tal franqueza de Sagitário, que tem associação com o deus que prega a justiça e a verdade. Mas o fato é que nem sempre a verdade é justa. Vejam este caso da minha amiga Isabella: "Certa vez entrei num elevador acompanhada de uma amiga de trabalho. A porta fechou e minha amiga me disse que tinha que buscar o vestido de noiva dela num bairro que fica na PQP, e eu respondi: 'Só você mesmo para fazer um vestido de noiva tão longe', quando eu ouço alguém lá no fundo do elevador fazendo o comentário... 'Eu moro na PQP!' Nesse momento me dei conta da merda que tinha falado. Não me virei para trás para me desculpar, não adiantaria, e esperei calada até o elevador chegar ao térreo e sair rapidinho dele. A empresa ficava no 19º andar, e essa foi a viagem mais longa dos 4 anos em que trabalhei lá".

A Teca também é colega da Isabella no quesito sinceridades toscas: "Tenho uma amiga que sempre considerei como se fosse uma irmã. Ela fez 30 anos de casada e nos convidou para a comemoração numa cidade a 3 horas do Rio. Isso implicaria gastos com hotel, além de termos que interagir socialmente com muitas pessoas por um longo período. Como eu estava num momento nada sociável, sem clima para festas e meio jururu, quando ela ligou convidando, respondi na lata: 'Nem pensar! Nem pensar, amiga!'. Falei dessa forma espontânea, assim como falaria com minha própria irmã, sem cuidados, pois a intimidade era a mesma. Só que não. Bem, não preciso dizer que a magoei profundamente e que minha sinceridade sagitariana foi pura grosseria. Por que até hoje não aprendi a lição que minha mãe tentou me ensinar? Cansei de ouvi-la dizer: 'Menina, a sua sinceridade beira a grosseria'".

Outro aspecto da personalidade do nosso professor zodiacal é não ter muito interesse em coisas que ele considera perda de tempo, afinal existem outras muito mais importantes para fazer, como, por exemplo, pensar, ler, assistir a bons espetáculos e viajar. No caso da Zezé e, diga-se de passagem, de muitos outros sagitarianos que eu conheço, a falta de interesse pelos trabalhos de casa é total: "Aquela vontade de arrumar a casa... eu pelo menos tenho um problema com as tarefas domésticas... eu preferiria estar lendo, e tenho que varrer a casa, lavar louça... é um horror!".

Por fim, os sagitarianos raramente são grudentos. Precisam de tempo e espaço para si. Se não for assim, sua meta de se transformar em alguém melhor vai para o espaço, ou seja, sua flecha se perde no infinito. Por outro lado, tenha a certeza de que você pode contar com eles sempre que sua causa for legítima. No meu caso, minhas fiéis e justas amazonas guerreiras me acolhem sempre que eu preciso e, com o seu humor, botam pra correr qualquer tristeza que venha assolar minha alma.

A sombra de Sagitário: a inabilidade

A gente conhece o lado certeiro, convicto, determinado e confiante de um bom sagitariano, certo? São bons professores, praticam aquilo que acreditam ser a verdade, são fiéis aos seus princípios e valores e, ainda, para completar, são bem-humorados. Mas e a sombra? Onde o nosso híbrido falha? Quando o cavaleiro deixa de ter as rédeas do seu cavalo na mão ou não acerta o alvo almejado?

Dito mais uma vez, a sombra de um signo tem a ver com a dificuldade da pessoa para expressar as características do seu signo oposto, no caso, Gêmeos. O sagitariano que iluminar a potência

do signo de Gêmeos, ou seja, a comunicação sem pompa e circunstância, a destreza nos pequenos movimentos e a troca com as pessoas que têm opiniões diferentes da sua, vai equilibrar suas energias e a ter consciência da sua sombra.

A sombra do sagitariano é uma certa inabilidade ao falar e para fazer coisas simples. A impulsividade deixa escapar pela boca o que passa pela cabeça. E não pensem vocês que para ele isso é coisa do outro mundo. Não mesmo! Para uma pessoa do signo de Sagitário, algo assim é absolutamente natural. Sai. É o caso da Zezé, aquela minha amiga paulista que um dia, na comemoração do meu aniversário, me fez me contorcer de tanto rir depois de vir com a seguinte pérola quando um amigo comum lhe apresentou a namorada nova: "Você é a do Rio ou a de São Paulo?", ela perguntou, sem a menor noção do que havia dito. Como ele (e todos os que conheciam um pouco de Astrologia e um pouco da Zezé) sabia que o impulso de Sagitário às vezes sai atrapalhado, entendeu que o que ela queria mesmo perguntar era: você é do Rio ou de São Paulo? Constrangimento criado e defesa feita, a bem da verdade, a emenda sempre fica pior que o soneto. Eis o nosso sagitariano caindo do cavalo e querendo se disfarçar de cisne ou de touro, como faz Júpiter nas histórias da mitologia.

Eu entendo tudo isso porque sei que o nosso professor vive com o pensamento voltado para o alto, assim como o arqueiro aponta sua seta para os céus. Distraído, também costuma se atrapalhar com seu corpo quando tenta montar o cavalo xucro.

"Tem uma coisa que me persegue desde criança. É ser estabanada. Não dou conta do tamanho que tenho. Sempre fui grande, a maior da turma, e continuo desde aquela época batendo nos beirais das portas, me enganchando nas maçanetas, tropeçando nos tapetes, coisas assim...", disse a Isabella. Nas aulas, costumo falar que os sagitarianos são pandas em loja de louça chinesa. A Teca também é um deles. Um dia, recebendo na sua casa uma colega de trabalho e seu namorado, Teca resolveu preparar uma caprichada bandeja de frios e pastas de vários sabores. Estavam lá os dois na sala, conversando com o marido dela, enquanto a Teca foi à cozinha pegar a atração principal da noite: sua maravilhosa bandeja! Ao adentrar a sala chamando a atenção dos convidados para a enorme bandeja sagitariana, ela tropeçou no tapete, e os frios, as pastas e ela mesma se estatelaram no chão. Não restou alternativa a não ser rir muito e pedir uma pizza.

Os gêmeos astrológicos representam a agilidade para driblar os obstáculos, o entendimento de que sempre há uma oportunidade ao alcance. Pois então, se o pensamento estiver o tempo todo nas nuvens, o sagitariano esquecerá que está montado num corpo ainda não domado, não saberá lidar com as coisas simples da vida e, principalmente, será o professor que fala uma língua que os alunos não são capazes de compreender. É por esse motivo que acabam dizendo tantas bobagens quando estão fora da "sala de aula".

Os sagitarianos da minha família: Kim e Eduardo

Família contemporânea, com direito a "meus, teus, nossos, deles, dos outros", é uma marca registrada do jeito como fui me organizando intimamente. Fácil com certeza não foi. Mas também não foi nenhum Deus nos acuda, credo! A necessidade de liberdade sempre ficou à frente da tendência também minha a ficar na zona de conforto, dos medos e das mais profundas inseguranças, principalmente as que têm a ver com amor e paixões. Foi por conta da Santa Liberdade que acabei herdando uma sagitariana de carne e osso, meio bichinho, meio gente, meio divina. Essa é a Kim, que, quando apresento para as pessoas como "a irmã das minhas filhas", a galera leva um certo tempo para localizar a geografia genealógica

em que esse animalzinho mitológico se encaixa. Ela é fruto do segundo casamento do pai das minhas filhas e, já que encontrou minha porteira aberta, adentrou meus pampas interiores. Com uma adoção simbólica, ela se tornou a caçula. Imaginem vocês, já mãe de uma cabra capricorniana e de uma virginiana totalmente criadas, eis que ela vem, com todo o fogaréu a que um sagitariano tem direito, expandir seus horizontes gaúchos, terra em que me criei, nas terras abençoadas por São Sebastião, terra em que nasci. Típico desse signo representado pelo animal exótico, foi tratando de conquistar sua independência e espaço. A galope, atravessou os campos da universidade e, quando vi... lá estava ela de beca, faixa azul e canudo na mão.

O curioso é que a decisão de seguir o curso de Psicologia foi tomada num descompromissado passeio pela Lagoa Rodrigo de Freitas, lugar onde hoje a nossa centaura põe sua endorfina em dia. Estava lá ela, ligada ao espírito esportivo do lado animal do signo, pensando em ser salva-vidas. Eita! Coragem pouca é bobagem. Idealização sagitariana também. Com o jeito truqueiro de todo pisciano, larguei essa de "por que você não pensa em psicologia do esporte?". Claramente estava despistando o foco e redirecionando a flecha da arqueira para o alto em direção à vocação que seu mapa apontava. Mas era truque mesmo. O alvo por trás daquela conversa nada fiada era nada mais, nada menos do que a Astrologia. O primeiro emprego dela na dita psicologia do esporte foi megafrustrante. Daí para seguir novos caminhos, novamente o cavalo-humano se entusiasmou todo e deixou apenas a poeira levantada no rastro do seu antigo caminho. A arqueira direcionou sua flecha para esse saber milenar, hoje é professora e já conta com dezenas de discípulos que seguem as pegadas que andaram junto com as minhas.

Já falei que o centauro do Zodíaco é um extraordinário professor, e não poderia deixar de homenagear o homem que, na maturidade, escolhi para ser o parceiro de toda a vida e, para além do nosso amor, o meu mestre. Com toda a propriedade de quem é ascendente Sagitário, Edu me ensinou a receber com o coração aberto as setas que apontam para caminhos bem diferentes dos meus, cicatrizando as feridas fendidas pelo desespero que tenho de aprender. Foi fácil? Imaginem, nem pensar. A cavalgada dessa mente sedenta por alcançar territórios distantes atropelou minhas reflexões. Me pôs para pensar mais longe. Mais adiante de mim. Mais adiante de nós. Na viagem que escolhemos fazer juntos, misturamos nossos arcos e apontamos nossas flechas para o infinito e além.

CAPRICÓRNIO

LUZ EM CAPRICÓRNIO

QUALIDADES

Planejamento
Precaução
Persistência

SOMBRA EM CÂNCER

DESENVOLVER

Sensibilidade
Doçura
Interiorização

CABRAS

Para começar a conversa sobre Capricórnio é preciso antes fazer um esclarecimento em relação ao seu símbolo. Um híbrido de cabra e peixe, é essa criatura estrambólica criada pela imaginação fértil dos nossos antepassados que representa o signo conhecido pela sua firmeza e determinação. Pois aí temos uma chave importante para compreender de fato coisas que normalmente passam batidas nas interpretações que vemos por aí como, por exemplo, ter sempre guardada na manga a força da espiritualidade. Venhamos e convenhamos, um signo que ocupa o décimo lugar na ordem zodiacal não poderia ter a ver somente com as coisas da materialidade, da concretude e tudo o mais que tanto se fala de Capricórnio. Mas isso é assunto que eu vou tratar daqui a pouquinho.

Vamos primeiro falar da parte cabra, especificamente da cabra que habita as montanhas, pois é essa que nos interessa quando se trata do signo em questão. Capricórnio não é a cabra domesticada, do pasto. É a cabra montanhesa. É quase impossível entender como esse bicho consegue escalar os rochedos íngremes sem cordas nem mosquetões, e dizem as boas línguas que escala melhor do que os alpinistas humanos. Ao avistar uma dessas cabras dependuradas num penhasco, a pergunta que não quer calar é: "Como é que elas conseguiram chegar ali?". Para realizar tal façanha, elas têm um tremendo controle do seu centro de gravidade e seus cascos travam, o que evita que desabem das alturas.

Por aqui, já dá para deduzir quais são os primeiros traços da personalidade desse signo cabeçudo. Qualquer capricorniano que seja de fato uma boa cabra montanhesa sabe que ter o passo firme no chão é condição *sine qua non* para alcançar seus objetivos, que, diga-se de passagem, não são baixinhos, do tipo trilha que se faz sem suar. Esta não tem nenhuma graça para quem os desafios devem ser vencidos pela persistência e pela capacidade de suportar os maus tempos da vida. Para a nossa cabra astrológica, nada chega fácil, e, se por um milagre alguma coisa cair no seu colo, ela paga um preço muito alto por isso.

Eu sempre digo que, para um capricorniano, subir montanha de helicóptero não vale. Os que subiram desceram a pirambeira rolando. É quando, então, tomada a consciência de que o melhor mesmo era encarar o espinhaço de frente, compreendem que subir a montanha passo a passo era a única maneira de realizar o que almejavam encontrar no topo. Depois de escalar o precipício e chegar ao ponto mais alto, o capricorniano triunfante obtém a mais valiosa conquista da sua vida: dominar o ego com a mesma habilidade com que as cabras montanhesas controlam o seu centro de gravidade.

Susanna Kruger, capricorniana de corpo e alma, tem uma história comigo bem diferente da maioria dos outros amigos, que chegaram a mim por conta do meu trabalho. Quando Mel, minha filha mais nova, também capricorniana, nasceu, senti, pelo seu mapa astrológico, que a garota ia ser densa, muito densa. Deixei passar alguns anos e achei que ter uma experiência com o teatro era uma boa saída para ela colocar seus bichos para fora. Escolhi a escola de teatro da Casa de Cultura Laura Alvim, que era coordenada pela Susanna e pelo Daniel Herz, na época casados. A professora da Mel era a Paloma Riani, atriz que acompanhou o trabalho da minha filha também quando ela se tornou profissional. É nessa altura que a Su entra na minha história. Um belo dia, andando pelo Leblon, bairro em que morávamos, encontrei a Su e ela foi de cara falando: "Claudia, a sua filha tem o bicho dentro dela. Ela é uma atriz!". Ficamos amigas. Hoje somos daquelas que têm segredos em comum, criamos um almoço para celebrar o poder feminino e, quando a coisa aperta, Su vai lá pra casa tomar café comigo pela manhã.

Conversando sobre signo daqui, vida dali, a Su comentou que sempre ouviu falar que havia dois tipos de cabra: aquela que se conforma em ficar no cercado e aquela das escarpas. "Quanto mais escarpas tiver, quanto mais ela tiver que subir, melhor. Eu me identifico mais com essa cabra, com esse bicho que vai subindo. Quanto mais dificuldades em qualquer questão, mais eu sinto que eu tenho que encarar esse desafio. Desde muito cedo, nada foi fácil. Acho que nada é fácil pro Capricórnio. Talvez por ele ter essa escarpa para subir, a gente já seja adestrada para saber que as coisas não caem do céu. Você tem que trabalhar para conseguir."

Tem um detalhe, aparentemente sem muita importância, que me chamou a atenção em pelo menos três capricornianas com quem convivi muito de perto: o amor pelas pedras. Para mim, faz todo o sentido quando associo essa paixão ao jeito como a nossa cabra zodiacal encara a vida. Com os dois cascos fincados na realidade, os capricornianos não dão mole, principalmente para si mesmos. A autoexigência é um dos traços mais fortes desse bichinho, que, se cair da montanha, sabe o tempo que leva para chegar novamente onde estava. Já que é para fazer, que se faça direito, diria um verdadeiro capricorniano. E, quando ele resolve realizar o que quer que seja, não olha pra trás nem pra frente. No meio da escalada, olhar para baixo só existe para verificar o quanto já subiu, e olhar para cima é constatar que ainda falta muito para atingir seu objetivo e afirmar seu desejo de chegar ao topo. Por isso, o preferível é encarar o passo firme do presente. Esse passo é o resultado de todos os outros já dados e a promessa dos próximos que estão por vir.

A Su tem uma história interessantíssima com uma pedra que ela carrega consigo desde a infância. "A família do meu pai era toda do interior da Bahia, e, quando eu era pequena, a gente passava as férias escolares lá. Eu ficava na roça com meus primos e me lembro que a gente fazia mil brincadeiras, era circo, guerra de seriguela, e teve um dia em que eu, o Valdemarzinho e o Zezinho resolvemos encontrar um tesouro no quintal nos fundos da casa. Aí nos armamos de pás e enxadas e fomos pro final do quintal da vovó e começamos a cavar, cavar, cavar, cavar. E não é que eu achei um tesouro? Eu me sinto abençoada até hoje por ter encontrado esse tesouro, que é simplesmente uma pedra rosa quartzo. Uma pedra linda, não uma coisa enorme, uma coisa pequena. Cabe na mão, mas é um rosa quartzo. Meus primos ficaram loucos comigo e obviamente que eu me achei, e passei aquelas férias inteiras de rainha, porque eu tinha achado um tesouro no meio de uma brincadeira. Essa pedra me acompanha a vida inteira."

É impressionante como os capricornianos levam a sério aquilo que se determinam a fazer. "Se não for para ser sério, então nem começo", diriam eles. O caminho que percorrem é sempre muito árido, e, se alguma coisa acontece que facilite a sua jornada, eis que surge a desconfiança típica de quem nasceu cabra. Enquanto não houver provas e mais provas para assegurar que vai dar tudo certo, que podem, sim, relaxar e dar um tempo pra respirar, eles não se dão o mínimo direito de ser felizes. E aí é uma bola de neve. Quanto mais não acreditam que vai dar certo, mais dificuldades surgem no meio da escalada rumo ao pico da montanha. Sua vibração negativa pode abalar a neve que cobre a rocha dura e provocar uma avalanche. É por esse motivo que alguns desistem de subir a escarpa e se tornam as mais infelizes cabras da face da Terra.

Um capricorniano, mesmo que esteja muito envolvido emocionalmente com alguém, pode dizer na lata: "Meu amor, minha meta agora é ficar um ano sem um relacionamento". Assim, na maior tranquilidade, deitado de conchinha e já quase pegando no sono. Mas isso não acontece somente na vida amorosa. Acontece com pessoas do trabalho, com amigos, com parentes e com quem mais a cabra encontrar pela frente que possa ameaçar sua estabilidade tão duramente alcançada. Para mim, é pura defesa, salvo quando é preciso chamar o outro na chincha pra trazer a pessoa pra real. Nesse caso, santas cabras montanhesas estas que sabem, mais do que ninguém, pôr no prumo quem está redondamente enganado sobre si mesmo.

A cauda do peixe

Conforme prometido lá atrás, vamos olhar agora o outro lado dos capricornianos, aquele que não está à mostra num primeiro olhar. A cabra capricorniana não é uma cabra comum. Só é cabra até a metade, porque a outra metade é o rabo de peixe. Tentarei aliviar as interpretações pesadas que ouvi tantas vezes de que as pessoas desse signo são simplesmente "calculistas" e "insensíveis". Para começar, seriedade e responsabilidade não precisam, necessariamente, significar ausência de afeto. E essa é uma das mais frequentes críticas ao signo de Capricórnio. Quero deixar claro também que a máxima de que os capricornianos são frios e racionais tem fundamento, pois a maioria das pessoas nascidas sob esse signo manifesta tais tendências. Também não vejo por que achar isso algo ruim, já que a racionalidade nos faz ter uma melhor medida das coisas e evita entrar em roubadas.

Na antiga Grécia, o mito que constelou Capricórnio no céu foi o da cabra Amalteia, que, etimologicamente, quer dizer doce... Segundo alguns relatos, tal cabra teria sido a ama de leite de Zeus, o grandioso deus do Olimpo. Ainda moleque, o deus quebrou, inadvertidamente, um dos cornos de Amalteia. Para compensar seu ato desastrado, ele prometeu à ama que o corno se encheria de tudo aquilo que seu possuidor desejasse. Pois vejam, para os gregos esse corno é o símbolo da abundância divina e foi chamado de Cornucópia. Não é, então, por acaso que Capricórnio está associado à realização de trabalho e que os capricornianos tendem a ser obstinados ao produzir. Imagino que, por conta da ênfase dada a essa tendência e pela desconsideração do significado da cauda do peixe, o estigma de frieza acabou tatuando erradamente as interpretações do temperamento da nossa cabra híbrida. Uma vez, ouvi uma capricorniana dizer que estava de saco cheio de só ouvir coisas relativas a trabalho quando lia o seu horóscopo. E ela tinha razão.

Além de ser contemplada com uma família que carrega a cabra no seu DNA, meu encontro com uma capricorniana mineira foi um presente que a vida me proporcionou. Tal encontro com a São Carneiro se deu há décadas e, com o passar do tempo, se consolidou de tal maneira, que não consigo imaginar o que seriam certos momentos da minha vida sem a sua doce presença. São é uma da cinco amoras que é de um signo de terra. A outra, uma habilidosa e querida virginiana, é a Soninha. Artista de incomparável sensibilidade, a São soube coordenar, sob severas pressões, a produção de um trabalho impactante e as exigências da sua vida pessoal. Mamadeiras à parte, pinturas cada vez mais ousadas eram geradas no seu ateliê no Rio, em Nova York ou em Paris. Não sei se sua doçura é originária de suas raízes mineiras, se da cabra que simboliza a fertilidade ou, simplesmente, de seu nome, o nome da santa de devoção paterna, Maria da Conceição. Entretanto, o que a experiência com a Astrologia me fez compreender é que não há uma causa, mas um conjunto de tendências que produzem o cenário favorável para a criação do nosso estilo de ser e de viver.

Voltando ao dinamismo da nossa cabra zodiacal, o que sei é que a minha amiga me ajudou a escalar a montanha generosa dos afetos. É impossível me esquecer de um dia como outro qualquer em que a campainha da minha porta gritou, no alto da encosta onde moro, e lá estava ela, com um monte de rosas brancas na mão. Eram para mim. Repito, dia comum, não era aniversário, dia especial, Natal, Ano-Novo. Parênteses: nesse momento, a Sãozinha estava com a saúde seriamente abalada. Vocês hão de concordar comigo que não é habitual, nessas condições, alguém pensar no outro. Assim, digo que associar a tão falada competência do signo de Capricórnio à doçura no campo das relações é coisa a que devemos começar a nos acostumar.

Voltando à história da cauda da cabra, o peixe representa o universo da sensibilidade, o imaginário e tudo o que tenha a ver com o psiquismo. Essa é a parte da criatura exótica que raramente vemos associada ao signo de Capricórnio. Pois os capricornianos são intuitivos, sim. Têm uma cauda de espiritualidade, sim. Mas, ao contrário de outros signos que transbordam suas emoções, eles preferem mantê-las mergulhadas nas regiões a que poucos têm acesso. Capricórnio é um dos signos mais práticos que conheço, mas duvido que não encharquem sua obra de emoção e espiritualidade. E é esse seu jeito de viver sua sensibilidade que poucos são capazes de entender.

Para confirmar que tudo isso é verdade, a Susanna me falou o seguinte: "Trabalhei alguns anos com um diretor muito legal no grupo Tapa, Renato Icaraí, uma figura incrível, um virginiano. E eu me lembro de um ensaio geral de uma peça que a gente fez em que as pessoas olhavam para a cara dele e diziam: 'nossa, que cara maluco, que maluquice', e eu entendia tudo o que ele estava falando, porque ele fez um ensaio no plano do delírio, no plano do conceito. Era o máximo o que ele fazia. Mas era preciso abalizar a loucura dele, e eu me identificava com esse plano do imaginário, mas um imaginário muito bem construído. É possível trabalhar no imaginário quando ele é concreto".

Filhos de Saturno: precavidos

Costumo dizer que os capricornianos já nascem meio velhinhos. Desde crianças gostam de estar no meio de adultos e agem como se tivessem uma experiência de quem já viveu milênios. É estranho ver aquele serzinho minúsculo olhando com a cara mais séria do mundo quando você faz as gracinhas com as quais a maioria das crianças fica encantada e é só alegria. É como se ele dissesse "não seja ridículo!". E, assim, os caprinos zodiacais crescem e aprendem a brincar depois de velhos. Sabem por quê? Uma das razões é o fato de Capricórnio ser regido pelo planeta Saturno. Na mitologia, Saturno é o deus do tempo. A historinha é interessante, pois começa com o deus castrando seu pai, Urano, e, depois, comendo seus próprios filhos. Segundo a lenda, Saturno foi expulso do céu pelo seu filho Júpiter, o único que ele não conseguiu devorar, e nas terras em que se refugiou fez reinar a Idade do Ouro, cheia de paz e abundância. Lá, Saturno ensinou a agricultura aos homens.

Saturno representa, por um lado, o tempo que nos castra e que nos engole, tirando-nos a vida. Por outro, ele simboliza a boa colheita de tudo o que plantamos com os nossos esforços. É aqui que também cabe a associação do signo de Capricórnio com o trabalho. Um capricorniano sem ocupação é como uma cabra sem montanha para escalar. É na montanha que as cabras buscam tanto o alimento como o refúgio. É no trabalho que os capricornianos se nutrem e se abrigam. É evidente que não são só os capricornianos que precisam trabalhar. A diferença é que trabalho para eles é uma tarefa nobre, um ofício sagrado. Mas vejam bem: quando falo de trabalho, não me refiro exclusivamente às atividades ditas profissionais. Ainda que a carreira seja a coisa que mais tem a ver com a ideia de montanha, qualquer tarefa que um capricorniano se determinar a cumprir será encarada como uma bela escalada. O espírito de alpinista vê pirambeira por tudo que é lado. Não é à toa que a vida da nossa cabra é tão exaustiva, tão difícil e, ao mesmo tempo, tão cheia de realizações.

E, já que o tempo devora seus filhos, ele também devora a paz de um bom capricorniano. Saber que o tempo está passando pode ser uma bênção, mas pode ser também um inferno. Por esse motivo, o planejamento é fundamental, "assim a gente não perde tempo", diria um deles. Um capricorniano precavido vale pelos outros onze signos do Zodíaco. "Aconteceu uma coisa peculiar comigo hoje", comentou a Su no meio de filosofias e abobrinhas que conversávamos. "O meu jipe soltou parte da lateral de uma porta e vieram, aqui em casa, o gerente e o mecânico da oficina. E aí, o gerente perguntou pro rapaz: 'Você trouxe...', e imediatamente o mecânico respondeu: 'Sim, eu trouxe isso, aquilo e aquele outro'. 'Nossa, você trouxe tudo isso?'. Aí eu olhei pro cara e falei assim: 'Você é capricorniano?'. E aí ele olhou pra mim e disse: 'Sou'. Só poderia ser! Uma pessoa que pensa em tudo que pode precisar antes de sair, o precavido, é um capricorniano. Pode nem usar, mas, se precisar, tem ali, na mão."

Por fim, eu não poderia deixar de falar sobre a maturidade e a responsabilidade, questões pra lá de importantes na vida de quem nasceu Capricórnio, filhos abençoados do tempo. Enquanto as outras pessoas amadurecem meio que na marra, a cabra zodiacal desde muito cedo sabe que amadurecer é preciso, pois o tempo passa, não perdoa e cobra caro. O pacto que um capricorniano faz com a realidade dá a ele a certeza de que será capaz de superar as frustrações que encontrar durante a escalada da sua montanha. E somente ele é o responsável pela firmeza do seu passo. As cordas devem ser seguras, os mosquetões precisam estar bem presos, e um bom capricorniano só confia em si mesmo para preparar sua parafernália antes de começar a subida.

A sombra de Capricórnio: A fragilidade emocional

Capricórnio rege os ossos, as articulações e, principalmente, o joelho. O esqueleto é, no corpo, a rocha dura que protege os órgãos internos, nos sustenta e nos mantém em pé. Existem coisas na vida que precisam tomar a forma rígida, seca, dura, outras ficam melhor quando são maleáveis. No lado oposto de um signo existe outro que fica na sombra, ou seja, há falta de consciência das suas qualidades, e, por isso, as energias se desequilibram. No caso de Capricórnio, o signo oposto e complementar é Câncer, aquele que anda de ladinho, que se emburaca no conforto da sua casinha emocional. Pois é nesse universo sensível das emoções e dos afetos que o nosso caprino zodiacal costuma endurecer as juntas e sentir dificuldade para articular seus sentimentos. Aquela criatura segura das responsabilidades e deveres, madura até o último fio dos cabelos, é, ao mesmo tempo, tremendamente frágil quando o assunto tem a ver com afetividade. Eles não costumam ter muito saco para chororôs, manhas e cenas de carência. Mas e eles, não são carentes? Pois aí é que está! São, sim. E muito, só que, nas condições normais de temperatura e pressão emocionais, a carência fica na sala de espera. Entretanto, basta passar uma brisa de rejeição por parte de alguém que ele considere importante para você conhecer o mais frágil, o mais instável e descontrolado ser que a natureza colocou na face da Terra. E considerar alguém importante para um capricorniano tanto pode ter a ver com trabalho como com o amor, com a família ou com os amigos.

No caso das relações de amor e de família, aí a situação para ele fica ainda mais complicada. Aquele ser concentrado em realizar seus projetos e planos de vida perde o chão quando alguma coisa dá errado na sua relação com as pessoas queridas, ou quando acontece algo que os deixa abalados. Um capricorniano pode perder totalmente o equilíbrio quando a febre do filho não passa e os fantasmas invadem a paisagem que a cabra avista do alto. Esse é o momento em que sua instabilidade emocional faz vibrar a montanha e produz uma avalanche que só acaba quando a febre passa e ele se dá conta de que era apenas uma virose, sem grandes consequências.

É impressionante como a vida teima em dar sustos nos capricornianos. Tudo que acontece parece testar a sua paciência e capacidade de superar esses momentos que abalam a estrutura emocional. Nessa área, eles realmente agem de forma muito distinta daquela em que a razão está no comando. Alguns até conseguem manter-se objetivos e atuar de maneira prática quando são assaltados por algo que os abala emocionalmente. Mas o desespero interno vai cobrar a fatura. E não vai sair barato.

A construção de relações estáveis é mais uma das grandes empreitadas na vida de um capricorniano. No fundo, no fundo, nossas cabras montanhesas sabem que devem subir sua escarpa sozinhas. Quando, no meio do caminho, um alpinista encontra um abrigo para se proteger e recuperar as energias, ele agradece aos céus por poder encontrar companheiros de jornada para compartilhar as suas agruras e conquistas.

"É assim que eu sinto o pior lado de um Capricórnio", diz a Su. "Se alguma coisa sai fora do combinado, não existe flexibilidade, não existe jogo possível. E baixa um estado de alma, um humor — nem sei bem o que é —, um inconformismo que cega meus olhos e me impede de ver qualquer nova possiblidade e de também compreender que o mundo não é capricorniano, não é perfeito — meta das cabras. Pelo menos a minha. Mark, meu filho, quando era pequenino, aquele geminiano virava para mim e dizia: 'Mãe, perfeito é não ser perfeito'."

Os capricornianos da minha família: Maria, Fernandos, Mel e Bernardo

Vivi, desde meu nascimento, cercada por capricornianos. Sou neta, filha, irmã, mãe e avó de capricornianos, experiência mais do que suficiente para poder falar com propriedade sobre cabras montanhesas.

Vó Maria, mãe do meu pai, foi uma dessas mulheres vaidosas que não dizem por nada neste mundo a idade que têm. Para se ter uma ideia, adolescente, eu invadia seu armário e me esbaldava com as roupas incríveis que ela usava. Ela só comprava vestidos numa butique chamada Lelé da Cuca. Minha avó, já perto de fazer 90 anos (a idade nós descobrimos depois que ela partiu), ainda usava calça de oncinha, top de barriga de fora, cabelos vermelhos e óculos azuis. E há quem diga que os capricornianos são discretos... Quando jovem, ligava o rádio religiosamente todo dia para ouvir o horóscopo com o Omar Cardoso. Um belo dia, ouviu ele dizer que os capricornianos são muito doentes ou fracos na infância e que ficam fortes quando envelhecem. Pois ela me sai com essa: "Eu fui uma criança doente a ponto de a diretora da escola pedir para meus pais me levarem para casa e me deixarem viver tranquila os dias que me restavam. Pois, como eu rejuvenesço a cada ano que passa, eu vou morrer mesmo é de catapora".

Fui marcada pela fala de um pai capricorniano, Fernando, de que o trabalho dignifica a vida. Compreendi a potência da produtividade. Comecei a trabalhar aos 18 anos e não me imagino parada. Mesmo assim, para mim, uma pisciana que produz lágrimas despudoradamente, não há a menor possibilidade de dissociar trabalho de afetividade. Vejam bem, quando falo de trabalho, me refiro não só ao trabalho propriamente dito, mas ao trabalho de criação, falando de forma mais ampla. Afinal, conseguir se tornar alguém no mundo não dá um trabalho danado? Pois foi o encontro com meu irmão capricorniano que uniu em mim o que o mundo em geral tinha se encarregado de separar: materialidade e imaterialidade.

Nando foi aquele irmão que, quando eu arranjava um namorado, ele dava um jeito de pôr o garoto pra correr. Diz ele, hoje, que morria de ciúme de mim. Na época eu não estava nem aí para o ciúme dele e queria matar o meu irmão. Saí cedo de casa e, como ele é seis anos mais novo do que eu, não acompanhei a adolescência do Nando. Tratei de viver meus amores fora dos domínios de meu pai e de meu irmão. Quando vi, Nando casou e teve três filhas, de cara, uma atrás da outra. Meu Deus! Bem, um belo dia, a mulher do meu irmão resolveu partir e restou para o capricorniano a tarefa de educar três meninas. Era de emocionar ver aquele bode grandão com as três cabritas correndo atrás dele. Seguindo como eu o exemplo do nosso pai, o Nando focou no trabalho e, claro, no sustento da sua prole. E a cabra foi subindo, subindo, subindo até que um dia, já casado pela segunda vez, com as cabritas agora cabras criadas, e pai de mais dois filhos homens, meu irmão resolveu trocar o terno e a gravata por bermuda e camiseta e começou a trabalhar por conta própria, em casa. É ele que leva as crianças à escola, ao futebol e à fisioterapeuta.

Um dia, do nada, lá pelos seus 7 anos de idade, minha filha Mel me sai com esta pérola capricorniana: "Mãe, meu sonho é fazer trinta anos. É muito chato ser criança. Queria ser adulta logo".

♑

É claro que ela me deu um certo trabalho porque, enquanto todas as amiguinhas estavam vivendo coisas da idade que tinham, a Mel já estava passos e passos à frente, e, se eu não permitisse que fizesse o que ela achava que tinha maturidade para fazer, dava o jeito dela e fazia. Um exemplo da sua necessidade de crescer era querer ter o seu próprio dinheiro para fazer o que quisesse com ele. Mel não se apertou. Pegou todos os gibis da casa, encheu vários frascos vazios com água e espremeu algumas flores que ela catou no nosso quintal na Gávea, estendeu uma canga na calçada e pôs para vender sua mercadoria para os moradores da rua. Evidentemente que quem passou por ali comprou, e ela vendeu tudo numa só manhã. Essa era a minha pequena capricorniana, que se tornou independente aos 19 anos, começando a escalar a sua escarpa. Mãe do Bernardo, também um capricorniano (a outra filha é geminiana), e casada com Felipe, a maria-farinha da família, Mel equilibra o casco firme da montanha do trabalho com a saída de lado de quem não quer nada para se refugiar no abrigo quentinho da família que ela, capricornianamente, construiu.

SOMBRA EM LEÃO
DESENVOLVER
Autoestima
Disciplina
Autoconfiança

AQUÁRIO

LUZ EM AQUÁRIO

QUALIDADES

Libertário
Visionário
Solidário

AGUADEIROS

Para começar, é preciso esclarecer que o signo de Aquário não tem nada a ver com o reservatório onde os humanos costumam prender peixinhos. Muito pelo contrário: um bom aquariano jamais suportaria ficar trancado por mais de alguns minutos entre quatro paredes sem ter a liberdade de entrar e sair quando bem entendesse. Aquário é representado por um homem que verte água de uma ânfora. Ao meu ver, seria muito melhor se o chamássemos de aguadeiro, o que serve água.

A região no céu onde o Aguadeiro se encontra é conhecida como "As grandes águas", por estar próxima de outras constelações representadas por criaturas aquáticas, como as constelações da Baleia e de Peixes.

Na mitologia grega, conta-se que Zeus se apaixonou perdidamente por Ganimedes, um mancebo troiano, deslumbrante, filho do rei Trós. Um belo dia, quando guardava o rebanho do pai, ele foi raptado pelo deus e transformado em águia. Zeus levou seu amado para o Olimpo, onde ele se tornou o copeiro dos deuses. Pelos seus serviços, Ganimedes foi elevado aos céus e transformado na constelação de Aquário, o aguadeiro, o que rega o mundo com o seu saber.

Conhecendo essa historinha, podemos começar a fazer as primeiras associações com o jeito de ser e de viver dos regadores do Zodíaco. Alguma coisa no íntimo de um aquariano diz que ele não está aqui, como diria Rita Lee, neste mundinho de Deus, simplesmente para passar o tempo, curtir a vida e jogar conversa fora. Essa voz interior grita toda vez que ele vê uma injustiça e, não tem jeito: só sossega quando sente que pode fazer alguma coisa para reparar os danos causados por essa sociedade tirana e cruel com seus semelhantes, ou, melhor dizendo, uma sociedade que não respeita os seus diferentes.

Se tem alguém que foi se tornando minha amiga e confidente sem que eu percebesse, foi uma aquariana, mais aguadeira do que Ganimedes, mais libertária que todos os meus amigos hippies dos anos 1970, mais ela do que ela mesma, a Regina Cury. Outro dia ela saiu para fazer uma compra nas redondezas onde mora, em Copacabana, e, como boa aquariana avoada, de repente se deu conta de que tinha errado o caminho. "Subliminarmente, percebi uma discussão acalorada entre um rapaz que vive na rua, sempre muito bravo, sempre agressivo, brigando com um pedestre e gritando algo como 'seu filho da puta, está pensando que eu vou te assaltar? Tá com medo de mim? Blá-blá-blá...'. Dei meia-volta com essa 'trilha sonora'. Quando estava na outra esquina, caiu uma pedra portuguesa bem na minha frente e rachou em duas. Passou a um milímetro da minha nuca, estourou na parede do prédio da esquina, quebrou e caiu bem diante dos meus pés. A violência foi tanta que eu achei que alguém a tivesse jogado da janela. Quando estava olhando para cima para ver de onde tinha vindo a pedra, o rapaz começou a gritar atrás de mim, dizendo que tinha sido ele, que era para me acertar mesmo, me xingando de tudo que é nome, enlouquecido, babando de raiva porque achou que eu tivesse dado meia-volta na rua por medo dele. Mas eu não tinha. E eu queria dizer para ele isso! Que não tinha medo dele! Que eu não sou essa pessoa que muda de calçada quando vê um mendigo, pelo contrário, que eu achava que ele tinha mesmo toda a razão de morrer de raiva do mundo, que era uma injustiça ele estar naquela situação. Só fui impedida pelos porteiros de tentar pará-lo para explicar porque eles sabem que aquele rapaz quebra vidro, arranha carro, pode mesmo machucar. Poderia ter me matado com aquela pedrada, mas eu só queria mesmo explicar que não tenho medo de gente como ele. Que eu queria é que ele não estivesse naquela situação. Que eu entendia a raiva dele...". Para um aquariano de verdade, uma simples saída na rua, uma mera distração, um acontecimento banal, qualquer coisa pode se transformar numa causa.

Mas a coisa não é bem assim quando se trata de quem convive muito, muito de perto com um aquariano. O que se ouve é que eles são frios, distantes, não estão nem aí para os problemas dos outros e, principalmente, para as emoções dos outros. O que se precisa entender é que eles estão mais ligados nos grandes problemas, nas pessoas que não têm como resolver a sua situação, do que nas criaturas que podem se virar por conta própria. Afinal, o mundo passa fome e você reclama que o carro quebrou e que vai chegar atrasado no cinema? Oi?

Uma das minhas melhores amigas, que conheci quando desovei aqui no Rio de Janeiro, aos 24 anos, é a Zoé de Freitas, bem essa aquariana que sempre me botou na real quanto à seriedade dos meus problemas e dos meus sofrimentos. Temos muitos pontos em comum, e um deles é termos ambas abandonado a arquitetura para nos dedicar a cuidar das outras pessoas, ela como psicoterapeuta, eu, como astróloga. Somos aquele tipo de amiga que já ficou anos sem se encontrar, mas, no momento em que passei por tempestades daquelas de quebrar tudo, a Zô estava ali do meu ladinho, sem dizer que a humanidade passa fome. Um dia, quando os meninos dela ainda eram bem pequenos, ela me contou que parou o carro num sinal de trânsito e começou a conversar com dois garotos de rua que vendiam balas. Ela não se deu conta de que os seus

estavam chorando, não me lembro mais por que motivo, até que o sinal abriu e, como a choradeira já estava num tom insuportável, ela percebeu na raça esse seu traço de regadora do mundo.

A Regina fala que, desde pequena, sempre foi muito tocada pelo sofrimento do outro. "Não o do próximo, mas principalmente do outro distante. Do menino de rua, do mendigo, do doente, da mulher chorando no carro do lado, dos que estão no meio das guerras, do colega que chegava malcheiroso na escola... nunca me conformei com o sofrimento. Chego a chorar quando vejo alguém muito ferrado na rua. É piegas, mas acho isso muito aquariano. É como se minha felicidade não pudesse ser plenamente vivida enquanto houver gente sofrendo. Eu trabalharia seguramente numa organização como a dos Médicos sem Fronteiras".

Agora, um parênteses: por conta da associação com a irrigação, o sistema circulatório é regido pelo signo de Aquário. A circulação do sangue é responsável pela distribuição dos nutrientes, do oxigênio e dos hormônios para as células de vários órgãos do corpo.

Os aguadeiros precisam molhar a terra para que a vida que brota dela não morra. Quando um simples mortal, ainda que um príncipe, é levado ao Olimpo para servir aos deuses, se deduz do mito que, também quando um aquariano ajuda alguém, ele o faz por uma causa, por um ideal, para regar e ver crescer um bem maior. Constelado no céu com a ânfora apoiada no ombro, ajoelhado para suportar o peso dela, o nosso aquariano carrega nos ombros o espírito cooperativo e, como uma fonte infindável, doa sua energia e o seu saber ao longo de toda a vida.

Anjos do deserto

Muitos anos atrás, logo que eu e o Edu começamos a namorar, decidimos fazer uma viagem para o Deserto do Atacama, no Chile.

Fomos meio como mochileiros, hotelzinho simples em San Pedro de Atacama, esquema econômico e aventureiro. Edu, como sempre, levou sua pilha de livros para estudar nos momentos em que não estávamos explorando as novas terras. Um belo dia, decidi ir para as lagoas salgadas de bicicleta, coisa que a maioria faz com guias, que, além de dar suporte durante o caminho, trazem de volta de carro os mais destreinados na arte de pedalar. Como costumo dar voltas e voltas na Lagoa de bike, e, segundo um cara de uma agência de turismo, eram só uns 30 quilômetros de distância, achei mole, mole, fazer a viagem sozinha. Não contava, é claro, com areias fofas, bicicleta quase que carregada nas costas, sol de rachar a moleira. O Edu ficou na pracinha de San Pedro lendo, tomando cafezinho, estudando e esperando feliz da vida a minha volta.

Na ida foi tudo bem. Seguindo as orientações do cara da agência de turismo, peguei a estrada de asfalto, entrei à direita na trilha do deserto a tal altura, andei quilômetros até enxergar a uma árvore, dobrei à esquerda e, então, cheguei ao paraíso das lagoas. Nesse momento, um motoqueiro que viu que eu estava sozinha, conversou comigo e perguntou qual caminho eu tinha feito para chegar lá. Mostrei, e ele me sugeriu que fizesse outro na volta, mais curto. "Segue por aqui na trilha toda a vida, dobra à direita quando encontrar a estrada de asfalto e vai reto até San Pedro." E foi o que eu fiz. Segui toda a vida. De repente, me dei conta de que tinha levado comigo somente uma garrafinha de água e a sede estava apertando. Segui na fé de que não demoraria muito a chegar. Que nada! Pedalava, pedalava, sol escaldante nas costas e nenhum sinal do tal asfalto. Incrível: só vi passar um carro no sentido contrário ao meu durante esse tempo todo. Quando já estava prestes a me desesperar, achando que estava perdida, morta de sede, o moço da moto colou ao meu lado, parou e me disse: "Pega essa garrafa de água e leva com você". Era uma garrafa de 1,5 litro. Falei que não, obrigada, era a água dele,

blá-blá-blá. E, aí, tive a resposta mais aquariana que poderia ouvir na minha vida: "Eu estou de moto, chego rápido na cidade, você não!". Perguntei se estava no caminho certo, ele disse que ainda faltava um tanto para chegar. Não sei se o moço era aquariano. Não importa! A partir desse dia, nomeei os aquarianos de Anjos do Deserto!

É incrível, mas eles estão sempre lá quando você está só, quando você não enxerga mais saída nos momentos de aperto. Creio que esse dom seja alcançado pelo fato de prezarem muito sua liberdade e amarem ficar sozinhos. Mesmo sendo pessoas que vivem para ajudar os outros, não suportam ser dominadas, ou simplesmente importunadas. Quando acontece de alguém invadir a sua praia, surge o mais irritável e insensível ser deste planeta. Parece gato quando se arrepia, verga a coluna e parte para cima. E, para ser justa com os aquarianos, liberdade para eles é liberdade para todos. Eles não são daqueles que querem espaço só para si e, quando chega a vez do outro, isso não funciona. Para o aquariano, viver com pessoas dependentes dele pode ser um verdadeiro inferno.

Zô, quando estava chegando à adolescência, rebelde como o quê, tentando convencer o pai de que ela era livre e de que a liberdade era tudo para ela, disse que precisava de uma moto para sentir os cabelos voando e se sentir livre de verdade. "À noite, ele chegou com um ventilador de mão para eu colocar em frente à cara, deixar meus cabelos voando e me sentir livre... porque moto não ia rolar, pelo menos não enquanto eu não fosse livre o suficiente para dar conta da minha vida, pagar minhas contas, ser independente e aí, sim... comprar minha motocicleta."

Nunca vi minha amiga numa moto, mas acompanhei todos, mas todos mesmo, passos que ela deu para construir sua liberdade. No final das contas, os cabelos rebeldes voaram ao vento dos momentos loucos que vivemos juntas.

O conceito de liberdade para um aquariano é quase sempre radical, quase sempre livre de preconceitos. É aí que o aguadeiro se reúne com o anjo do deserto, e os dois, juntos, podem beneficiar muitos.

"Me chamam de 'Regina.org' porque eu sempre penso nas questões pelo viés de como ajudar, de entender, por exemplo, por que um filho da puta é um filho da puta, por que um bandido é um bandido ou por que um chato é um chato. Sempre acho que tem alguma coisa boa debaixo da merda. E uma explicação para a merda", diz a Rê.

Ainda falando em liberdade e na Rê, o nosso anjo do deserto astrológico precisa muito, mas muito mesmo, estar só. Não são seres da multidão, "salvo nas manifestações, nos protestos, numa passeatazinha, numa marcha, numa chance para reivindicar. Odeio multidão. A multidão está dentro de mim".

Filhos de Urano: reformadores

Até 1781, quando Urano foi descoberto, o signo de Aquário era regido por Saturno, o deus do tempo. Como um signo tão libertário, irreverente e doador pode ser parecido com as características representadas pelo deus que devora seus filhos para se manter no poder? Bem, para os antigos, Saturno era o planeta mais distante, aquele que morava nos confins do universo. Tinha a ver com a maturidade alcançada pelo tempo, com a sabedoria dos velhinhos, com juntas endurecidas, com o não estar nem aí mais para pequenos sofrimentos, com o compreender que todos, sem exceção, terão o mesmo destino. É o tempo comendo seus filhos. Sinto, aqui, ares aquarianos.

Muitos dos nossos aguadeiros não dão a menor bola se o que estão vestindo agrada ou não às outras pessoas. Além do mais,

intolerantes com as "pequenas coisinhas" que perturbam a vida de qualquer filho de Deus, alguns podem se tornar rígidos no convívio cotidiano. Isso é a cara do que nós, apaixonados pela Astrologia, entendemos de Saturno. E mais um detalhe: quando o aquariano está na função de anjo do deserto, é um foco só, atento às criaturas perdidas como eu estava no Atacama, no meio do nada. Confesso que sempre achei os aquarianos meio "velhinhos".

Depois da descoberta de Urano e de alguns anos mais de observação dos astrólogos, ele foi eleito o regente de Aquário. O detalhe que mais chama a atenção nesse gigante gelado é o fato da sua rotação não acontecer da mesma maneira que todos os demais planetas, ou seja, com o eixo quase em pé em relação ao seu plano de órbita. Urano, ao contrário, gira "deitado", contraditando toda a ordem seguida pelos outros planetas do sistema solar. Um solitário rebelde! Eis que surge o reformador, bem representado no seu símbolo gráfico, os relâmpagos da tempestade. Eu sei que aquelas ondas têm a ver com as águas da ânfora do aguadeiro, o.k., mas minha professora sempre acrescentou seu olhar aquariano — sim, ela era uma autêntica aquariana — ao símbolo e associou o desenho aos raios.

Vamos começar pela diferença. Um verdadeiro aquariano vai sempre se sentir diferente. Eu costumo dizer que quando ele vai a uma festa de caretas, ele é o doidão, e, quando vai a uma de doidões, ele é o careta. Seu eixo não está no mesmo prumo que o da maioria das outras pessoas. E, assim, o nosso anjo aquariano carrega com ele a sua solidão.

Quando Zô tinha 9 anos, os pais se separaram. "Morávamos em Brasília e eu era a única da escola com pais separados. Fui estudar no colégio Marista, que até aquele ano tinha sido um colégio só de meninos e estava abrindo seu primeiro ano de matrícula para meninas. Claro, eu era a única menina na minha sala, o que me colocou num lugar de assistente da professora (que maravilha!!!!), mas me causava uma solidão enorme (não tinha com quem brincar no recreio: que inferno!!). Eis o Ganimedes servindo aos deuses e o anjo perambulando sozinho pelo pátio da escola."

Com a Rê também existe o lugar de ser uma criatura exótica aos olhos do senso comum. "Nunca me vesti segundo a moda. Não gosto de moda. Se estiver todo mundo indo numa direção... é para lá que eu não vou. Na verdade, tenho uma curiosidade imensa por tudo o que é diferente de mim ou de onde eu vim. Favela, lixão, underground, mansão, *jet set*, madame, adoro estar fora do meu *habitat* e me imaginar totalmente outra. Por isso, talvez nada me cause repulsa de imediato. Eu preciso ir lá, preciso me enfronhar, preciso entender e, dependendo do que, até experimentar. Adoro me enfronhar no desconhecido. Sempre me atraiu tudo o que é diferente. Nunca tive repulsa pelo feio. Me lembro que, aos 15 anos, vi pela primeira vez duas mulheres se beijando. Foi ao vivo, e não me pergunte como eu fui parar numa boate gay nessa idade. Fiquei hipnotizada. Eram mulherões, lindas, aquela cena tinha um ar de mistério. Nunca me choquei com as diferenças, com a diversidade. Sempre me senti em casa em lugares que têm tudo que é tipo de gente. De verdade, eu me casaria com um marciano verde de duas cabeças se me apaixonasse por ele."

Se a função do aguadeiro é servir, e servir a uma causa, também faz parte do grande pacote aquariano reformar. Isso significa em muitos casos transgredir as regras estabelecidas, as que são injustas, que não beneficiam a galera geral. O grafismo das ondas sincronizadas representa a vibração conjunta entre o indivíduo e a coletividade. Dizia Dona Emy que elas eram a eletricidade cósmica, os raios e as tempestades capazes de sacudir a natureza e libertar as sementes para que nasçam novos seres[5]. Também são

[5] MASCHEVILLE, E. C. *Luz e sombra*. 2ª ed. Brasília: Teosófica, 1999.

representados aqui os novos pensamentos, as grandes revoluções, as grandes mudanças que beneficiam toda a humanidade. Voltando aos transgressores, a Rê sempre foi uma dessas amigas que não seguem regras, mas que levam a vida a sério, "com um interesse profundo por tudo o que é do ser humano e um tesão incontrolável pelo diferente, pelo proibido, pelo novo e pelo inusitado. Tudo com uma capacidade infindável de amar e de ajudar, desde que, ao fim do dia, me deixem relaxar em paz no sofá da minha casa".

De tudo que eu aprendi com os meus aquarianos queridos, a mudança súbita de rumo, de interesse ou de valores foi a marca mais importante. Quando eu estava finalmente me encontrando com tudo o que eles me apontaram ser possível viver, eis que percebo meus anjos voando na velocidade da luz em outras direções. Digo que é mesmo muito difícil acompanhá-los, principalmente quando isso diz respeito à maneira como raciocinam. Sim, os aquarianos são megarracionais, mas não no sentido lógico. A lógica deles é muito própria, algo mais próximo da física quântica do que das continhas e deduções normais que aprendemos desde pequenos.

A princípio, nada faz sentido. Com a mente voltada para o futuro, só *a posteriori* a ficha vai cair. Como eu não tinha visto isso lá atrás? Pois é! Esse dom de antever o futuro é coisa de anjo da guarda que nos poupa de muitas roubadas.

Alguns aquarianos voltam sua inteligência para os interesses humanitários, outros são os cientistas e nerds de plantão. Para esses, a tecnologia é a melhor ferramenta para fazer progredir a humanidade, e sua inteligência foi moldada para isso. Está no DNA desses aguadeiros tecnológicos se entender com as máquinas, serem capazes de conversar com os robôs. Santos aquarianos esses que salvam os nossos arquivos perdidos, que nos dão o caminho das pedras para nos entendermos com essas maquininhas maravilhosas e esdrúxulas que estão grudadas na nossa massa encefálica.

A sombra de Aquário: o egocentrismo

No isolamento e no anseio por liberdade, o aquariano se perde do outro e esquece que tem alguém ao lado dele querendo ver filminho na TV ou que tem filho suplicando para tomar sorvete. A agonia de se ver fazendo alguma coisa a que ele não dá a mínima importância revela a sombra projetada no seu signo oposto, Leão. Na verdade, nosso aguadeiro não consegue olhar para si mesmo e reconhecer o próprio valor. O calor, representado pelo coração que pulsa de emoções, ficou desaquecido na sombra projetada pelo interesse nas grandes causas. Que importância ele próprio tem, se sente nos seus ombros o peso de toda a humanidade? Se ele não se der conta de que a força da individualidade é o primeiro passo para que o coletivo funcione bem, o seu lado sombrio será o egocentrismo, um modo de inconscientemente compensar as inseguranças e a necessidade de aprovação. O aquariano sempre pergunta primeiro para os outros o que ele deve fazer, para depois fazer exatamente o que quer.

Logo depois que conheci a Zô, nós duas nos separamos do primeiro casamento. É claro que ambas queríamos usufruir da liberdade da nossa solteirice. Mas, cedo ou tarde, o amor bate à porta, e Zô conheceu, no dia do seu aniversário, o Mauro, aquariano como ela. Condição para o novo casamento? Morar em casas separadas! Filhos? Só depois de passar um tempo morando fora do Brasil. Depois, quem sabe? Pois a primeira gravidez veio antes da viagem. Zô bateu o pé em relação à ideia de morar em duas casas. Mas, como existem aguadeiros que não dão bola para tais discursos, o aquariano Mauro convenceu a Zô a morarem juntos. Mais outro filho, e foram com as duas crianças pequenas morar na Califórnia. Estão juntos até hoje, morando na mesma casa. "Já abandonei muitas coisas e pessoas por ser impulsiva e irritável antes de descobrir, com a maturidade trazida por

Saturno, que dá pra preservar a liberdade e usufruir dos afetos, da duração e da manutenção dos vínculos".

A gente percebe o ego inflado do aquariano assim que ele começa a discursar sobre um assunto de grande interesse social, que tenha a ver com tudo que ele estudou e pesquisou e cuja importância na vida de todos nós só ele sabe e que poderá até ser a salvação da humanidade. A sombra de Leão aparece quando o aquariano enaltece suas próprias ideias como se as águas da ânfora fossem o oceano onde todas as águas irão desembocar.

Desde pequena, a Zô foi uma fominha de livros. "Me lembro da fascinação que eu tinha pelas histórias contadas, a curiosidade pelas palavras e seus significados. Sempre inventava nas brincadeiras um momento 'agora cada um vai para um canto, escolhe um livro e fica lendo um pouquinho sozinho, depois a gente se encontra...'." A luz no saber já projetava sua sombra na habilidade daquela aquarianazinha para levar todos na direção do seu próprio interesse. Hoje, como psicoterapeuta, segura de si e da sua luz, ela jorra suas águas no trabalho e faz do seu paciente o protagonista do espetáculo.

A Rê também viveu uma dessas. "Quando eu estava na quarta série, com 10 anos, a professora passou uma tarefa de Matemática para fazer em classe valendo pontos para ajudar na nota. Eu tive sorte, sabia fazer! Mas logo vi dois ou três colegas desesperados porque não sabiam. Não era prova, podia conversar. Então, eu fui ajudando a galera em volta, aqui e ali, dando uma dica ou outra e empurrando a minha tarefa com a barriga... ajudando e me deixando de lado. Meio malandramente, meio por querer ajudar, meio buscando um lugar de sabichona, meio negligenciando a minha própria tarefa. E, nisso, o tempo acabou... todos tiveram que parar onde estavam e eu nem tinha começado. Quando chegou a minha vez de apresentar, não tive dúvida: disse para a professora que não tinha feito a minha porque ficaram me pedindo ajuda e me atrapalhando. Ela, que era muito da durona, me sacou logo: me deu uma nota zero para contar na média do bimestre. Levei anos para entender que não era pela tarefa não entregue, e sim por ter passado o outro na minha frente e ainda por cima ter me escondido atrás dele". Mais uma vez, a maturidade de Saturno, o antigo regente de Aquário, bateu na consciência da minha amiga, que sacou a importância do equilíbrio das energias representadas pelo aguadeiro e pelo rei das selvas.

Os aquarianos da minha família: Amanda, Bernardo e Mel

Aeroportos sempre me emocionaram. Dizem que isso é coisa de aquariano. Não sei bem, mas o fato é que tenho Vênus — planeta relacionado aos afetos — nesse signo. Aeroportos sempre me passaram a impressão de ser um passaporte para a liberdade. Não sei bem de que, mas é assim que me sinto. Também é dito que liberdade é coisa de aquariano. É verdade até certo ponto, porque, diga-se de passagem, liberdade é coisa de todos os signos. A diferença é que cada um sente a liberdade de forma singular.

Tempos atrás me vi, meio atrapalhada, meio emocionada, levando meu neto para o aeroporto. Minha filha voltava para casa depois de uma exaustiva semana de trabalho. Por acaso (ou não), assim como eu, ela tem Vênus em Aquário. Mais ainda, meu neto tem a Lua — outro astro relacionado à afetividade — em Aquário também. Pensando bem, se juntássemos nossos "jarros aguadeiros" representados nesse signo, acho que regaríamos todo o deserto do Atacama.

Voltando aos aeroportos, se são coisa de aquariano é de se pensar, mas o que sei é que os dois vivem num ir e vir que dá gosto!

A primeira viagem longa dele não foi para a Disney, mas para a África, experiência que só não é incomum por ser um moleque com características aquarianas.

Mas o que eu queria mesmo falar é o quanto me emociona observar a manifestação da tendência de um signo desde a mais tenra idade. Esse pequeno menino, ainda com dois anos incompletos, fazia questão de "arrastar" a sua mala sozinho aeroporto adentro. Ao observar a compenetração e solenidade com que se encarrega da bagagem que lhe é devida, não posso evitar a relação de tal postura com as características do seu signo solar: Capricórnio. É aí que ocorre um ponto de convergência entre as forças representadas por Aquário e Capricórnio: como já comentado anteriormente neste capítulo, antes da descoberta de Urano — planeta que desde então rege o signo de Aquário —, Saturno era o responsável pela regência dos dois signos. Esse astro, que, com seus anéis, faz um belíssimo espetáculo no firmamento, é, na mitologia grega, o deus que castra o pai e devora seus filhos para não ser destronado por um deles. A castração pode ser interpretada como o corte para a realidade e, consequentemente, o processo de amadurecimento e da construção do senso de responsabilidade, dois atributos importantes quando se fala de Capricórnio. Porém, é no corte que a liberdade é conquistada. Eis aí Aquário presente.

Bem, a aquariana mesmo da minha família é a Amanda, filha do meu irmão capricorniano. Ela carrega Urano na bagagem, ele, Saturno. Continuando a falar em malas e bagagens, Amanda foi aquela dos meus sobrinhos que voou para terras distantes, e põe distante nisso. Não só pela distância, mas pela diferença de clima, cultura e todo um *modus operandi* nada a ver com o esquema de Porto Alegre, cidade onde ela morava até pegar sua trouxinha e se mandar para viver a grande revolução da sua vida. Suas asas não bateram em debandada porque tudo ia mal, porque não tinha um grande amor, blá-blá-blá. Não! A aguadeira já havia regado bem direitinho seu canteiro profissional, estava megabem colocada no mercado, o coração, nutrido com o amor do Cadu e do Wisky, um schnauzer que não desgruda dos dois, quando sonhou mais alto. Os raios da sua inquietude foram lançados e a Amanda, seu namorado e o Wisky se mandaram para o Canadá. Com neve até a ponta do nariz, Amanda adotou as novas terras, e, quando fui visitá-la, ainda com neve, mas não até o nariz, diante das cataratas do Niágara, senti a intensidade da força das águas do seu jarro. Sua nova vida está sendo construída com os pés bem no chão, totalmente à moda de Saturno, o pai do seu pai, o pai do meu irmão.

Retomando os aeroportos, malas, pequenos grandes homens, liberdade e responsabilidade, afirmo a ideia de que o austero regente de Capricórnio simboliza, também, a dimensão libertária do signo de Aquário. Assumindo o que lhe é devido, "arrastando sua bagagem sozinho", o aquariano se sente livre e, assim, reitera o que disse o grande filósofo Friedrich Nietzsche: "Liberdade é prometer e cumprir".

SOMBRA EM VIRGEM
DESENVOLVER
Praticidade
Organização
Seletividade

PEIXES

LUZ EM PEIXES

QUALIDADES

Intensidade
Sensibilidade
Imaginação

DOIS PEIXES

Um peixe pra cá, outro pra lá, unidos pela boca. Esse é o símbolo do signo mais difícil de ser compreendido, o mais misterioso e o mais paradoxal do Zodíaco. Tudo bem que a dualidade representada pelos dois peixinhos é fácil de ser detectada por qualquer humano que se sinta como tal. Mas e o cordão que liga os dois pela boca, mantendo-os em equilíbrio e sugerindo que tanto faz ir para um lado como para o outro, que, no fim, tudo é uma coisa só, não existe começo nem fim, somente o ilimitado? Aí a coisa fica um pouco mais complicada. Para um verdadeiro pisciano, não deveria existir a angústia de ter que escolher entre "uma coisa *ou* outra", mas sim a possibilidade de ter "uma coisa *e* outra". Dê um cardápio com mais de quatro opções e você verá um pisciano começar a suar de angústia e querer sair correndo para um restaurante menos complicado.

A tal ideia de que bem e mal existem separados, que ou se é uma pessoa boa ou uma pessoa má, não cabe na realidade de um pisciano, tão bem representado pela criatura que vive tanto em águas profundas quanto nas rasas, na água doce ou na salgada. Pois assim podemos começar a entender por que eles são tachados de insensatos, ilógicos, contraditórios, e por aí seguem as

mais verdadeiras e as mais falsas afirmações que se pode fazer de um pisciano. Aquele ser conhecido como santinho, bom demais, calmo como monge é, ao mesmo tempo, um demônio, agressivo, tenso e duro.

Quando seus peixes estão unidos em equilíbrio, essas duas forças são expressas como um borogodó, um glamour que torna qualquer pisciano um ser irresistível, encantador. Nem sempre, porém, o cordão consegue mantê-los à mesma distância um do outro, e, então, presenciamos cenas incríveis, que podem até não parecer verdadeiras. Não dá para ser alguém totalmente zen ou totalmente rock'n'roll. Quando um pisciano explode, e ele talvez consiga explodir mais do que qualquer um dos seus irmãos zodiacais, pode ter certeza de que um monge reza mantras no seu interior. Da mesma maneira, quando ele está na paz, uma turbulência na alma o atormenta.

Aprofundei meu amor pela Lucia Mayer em uma experiência profissional realizada na Bocaina, na pousada da Mari e da Claudia Roquette-Pinto. O lugar é simplesmente mágico, dá para sentir os seres elementais, como duendes, ondinas, sílfides e salamandras. Um verdadeiro paraíso para qualquer signo, mas para os piscianos é o céu. Mari e Claudia, budistas, aquecem a alma das pessoas que elas recebem com seu carinho, capricho nos detalhes e uma mesa de onde não dá vontade de levantar nem por um decreto.

A Lucia ouviu a vida toda a seu respeito coisas do tipo "nossa, mas ela é tão calma! Ela passa uma coisa tão boa, tão serena, tem uma voz gostosa". E a Lucia achava tudo aquilo o máximo! "Queria eu ter só esse lado! Quem convive comigo sabe que eu tenho esse jeito gracinha, mas que tenho um outro lado que é uma loucura! Se eu for contrariada, se uma coisa fugir do controle, este outro lado vem com uma força, vem com um negócio que eu digo para mim mesma: 'cadê aquela pessoa calma, serena e tranquila?'. É tipo um tsunami, carregado de emoção e que explode. Eu tenho uma capacidade enorme de armazenar muita coisa dentro de mim, de não estourar com qualquer coisa, ter sempre um olhar positivo, sempre um olhar legal para as coisas. Agora, de repente, um nada — um nada não acredito que seja, eu acredito que sejam coisas que eu vou somatizando — detona ali aquele botãozinho e eu solto tudo o que estava contido há algum tempo. Tudo isso é bem desagradável, me gera depois um mal-estar enorme, porque eu não gostaria de ter feito isso, ter falado aquilo, porque não acho legal esse comportamento. Mas sei que faz parte dessa minha natureza ser tranquila, ser calma, mas, de vez em quando, soltar tudo com uma força até um pouco destrutiva".

E é assim que alguém mais distraído se espanta com as manifestações sinistras dos piscianos. O mito de que eles são um mar tranquilo só é verdadeiro até o momento em que a tempestade chega.

O resultado mais evidente da união das duas criaturinhas aquáticas é que o pisciano tem uma percepção global da realidade. Detalhes não são o seu forte, ainda que alguns com os quais eu convivo consigam observar com muito cuidado as pequenas coisas. Mesmo neles, a visão do todo ainda é um de seus melhores atributos.

O grande dom de um pisciano é a sensibilidade, e, para aqueles que não se reprimem, chorar é o caminho mais curto para demonstrar o que toca a sua alma. Esse é um dos peixes, o peixe da compaixão, dos pelinhos arrepiados, do peito dilatado de emoção. O outro, dramático, é o que se sente bem sofrendo, o que é vítima.

"Como uma boa pisciana", diz a Lucia, "eu sou sensível às dificuldades do mundo, às desigualdades, à falta de consciência da humanidade, me emociono vendo um filme, vendo um gesto de bondade, vendo uma caridade, um gesto de compaixão. São coisas que me emocionam profundamente, que me fazem chorar. Sempre fui muito chorona e gostava de chorar também. Gostava de fantasiar eu sofrendo de amor, talvez uma coisa de gostar do sofrimento. Eu lembro que assistia à novela e via aquelas atrizes

chorando de amor... então, desde cedo, com a cabeça muito fantasiosa, gostava de me olhar no espelho chorando, imaginando um sofrimento de amor, de paixão! Hoje em dia, eu começo a rir quando lembro de mim criança, na hora de tomar banho, grudada no espelho, fantasiando várias cenas que eram geralmente de sofrimento. Gostava de me olhar no espelho e ver as lágrimas correndo. Um negócio bem maluquinho, eu acho. Também sempre fico preocupada com quem está à minha volta, querendo fazer tudo para ver as pessoas que eu gosto ficarem bem. Sou carinhosa, beijoqueira e muito sensível. Então às vezes, quando eu era mais nova, ia fazendo tudo para todo mundo, mas, se a pessoa não me desse um retorno, um 'ai, Lucia, obrigada, que carinhoso', eu ficava brava, achava que ela não merecia tudo que eu fiz. Eu tenho que tomar cuidado com o hábito de me tornar vítima, de achar que as pessoas não gostam de mim, que não ligam para o que eu fiz. Acho que, com a maturidade, aprendi a não me colocar nesse lugar de sofrimento e que não é nada, nada confortável."

Com exceção de alguns outros seres nadadores, os peixes são criaturas que não respiram como nós. Do jeitinho deles, podemos dizer que "respiram debaixo d'água" enquanto nós, humanos, só respiramos de snorkel, escafandro, tubo de oxigênio. Seguindo por aí, já que para falar é preciso simultaneamente respirar, é impossível se comunicar por palavras mergulhado numa piscina, num rio ou no mar. Eis uma das mais potentes forças de um pisciano: o silêncio.

Esse universo de mistérios, de profundidade e silêncio reflete bem aquela expressão "peixe fora d'água". Na verdade, para os piscianos, ela soa meio estranha, apesar de fazer sentido quando tem a ver com o fato de que se sentem completamente desconectados deste mundo das coisas palpáveis. Parodiando a música popular, "Como pode um pisciano vivo viver fora da água fria?" talvez lhes caiba bem melhor.

Há muitos e muitos anos conheci uma das pessoas mais sensíveis e amorosas que já mergulharam no oceano da minha alma. Emília Maria Fernandes tem uma carreira de mais de 40 anos na Educação e uma equipe de trabalho que a acompanha há mais de 30. Nesses anos todos que seguimos juntas, nos tornamos amigas e compartilhamos alegrias e aflições sem críticas e sempre com muito amor. E ela não escapa à regra de se sentir peixe fora d'água, porque, quando era pequena, se sentia um pouco diferente das outras crianças. "Todas pareciam ativas, inquietas, curiosas... e eu, sempre contemplativa, tranquila, observadora e muito sonhadora. Nas brincadeiras solitárias, minha imaginação voava...", diz Emília.

Outra pisciana que sempre diz que a sensibilidade e a coragem se misturam nela proporcionalmente é a Josane Rocha, que, com delicadeza e precisão, cuida dos meus dentes há mais de 20 anos. Há uma coincidência nas nossas vidas que talvez só aconteça na vida de piscianos. Nossas filhas mais velhas se chamam Luna. As duas têm o sobrenome Alves. As duas são da área da saúde. A minha é veterinária e a dela, dentista. E as duas são virginianas. Bem, coincidências à parte, olhem só o que a Josi fala do silêncio e das frustrações: "Talvez por esperarmos que todas as pessoas à nossa volta compactuem com o nosso senso de justiça, verbalizamos pouco, como se achássemos que os outros bem sabem disso ou daquilo e agissem como perfeitos adivinhos das nossas mentes... e é aí que nos frustramos, quer nas relações familiares, com amigos ou com parceiros. Mas, acima do bem e do mal, uma pisciana nata, com sua capa de 'mulher-maravilha', vai em busca dos seus sonhos... se ajeita, se refaz, levanta a cabeça e, num instinto cigano, muda completamente a sua vida. E assim permeiam entre bosques e mares, brisas e ventos, luas e sóis, um novo tempo de amar!".

O mundo aquático é para nós, humanos, o mundo do silêncio, ou melhor, do som do silêncio. Taí o mais procurado, o mais desejado estado de espírito daqueles que falam de espiritualidade.

Essa relação estreita entre respiração e silêncio é, para mim, uma associação semelhante à que existe entre o signo de Peixes e a espiritualidade.

"Para mim, ser pisciana tem a ver com uma busca espiritual, com algo que faça sentido na minha vida. A fé e essa procura me impulsionam para a frente e eu estou sempre envolvida em assuntos esotéricos, de autoconhecimento ou com a prática da meditação. Sempre gostei dessa área espiritual, de me tornar uma pessoa melhor", diz a Lucia, voraz estudiosa de Astrologia, dedicada a praticar de tudo um pouco o que aprendeu no caminho das suas buscas.

Também a Emília fala que crê nas pessoas, na vida e em Deus. "Sou um ser de fé e vou em busca da paz interior".

Camaleões

A dualidade é dissolvida em Peixes quando as partes se reúnem num todo. Peixes é o último signo do Zodíaco, e é muito comum ouvirmos falar que esse signo contém um pouco de todos os onze que o antecedem. Não é por acaso que ele rege os pés, o fim de tudo, a última parte do corpo que sai ao nascer. Peixes é o pote de ouro no fim do arco-íris astrológico, ao mesmo tempo que é o lixo onde os dejetos de todos são despejados. É quando nossos peixinhos se transformam em camaleões, a arte de se disfarçar, afinal, eles sabem ser um pouco de tudo. Para Peixes, não é difícil vasculhar seu baú de disfarces e fantasias e escolher o que é mais apropriado para cada encenação. Aqui é importante fazer uma advertência: o pisciano é, de fato, todos esses personagens, sem tirar nem pôr. Achar que ele não tem personalidade é banalizar um dos seus mais profundos e importantes dons.

Existe uma angústia que acompanha a maioria das pessoas nascidas sob o signo de Peixes que é a habilidade de ser multitarefa, multiúso, multitudo. A princípio, até parece que eles têm muitas vantagens, pois se adaptam facilmente a qualquer lugar, a qualquer ambiente, a pessoas nada a ver, e àquelas que têm tudo a ver. Sim, isso também é verdade, mas na hora de escolher um interesse, um curso, uma profissão, um parceiro, o multitalento pode não ser tão vantajoso assim. Será que não dá para ser pianista e salva-vidas ao mesmo tempo? Namorar essa e aquela pessoa, já que se identifica com as duas em tantos aspectos? Poder, claro que pode, mas tudo fica muito complicado quando o mundo diz que é preciso optar por uma coisa ou por outra. Nessa situação, ou o nosso peixinho nada nas águas da sua fantasia ou mergulha com tudo o que deseja nas profundezas do oceano, onde não há luz e ninguém pode julgá-lo. E esse lugar só ele conhece. Como uma arraia, pousa no fundo do mar e se camufla. A galera passa por ali e ele fica só na observação, sem dar o menor sinal de vida. Esse é o seu segredo: ser um camaleão.

O outro lado da moeda é ter uma sensibilidade tamanha que o pisciano se torna uma esponja, que absorve tudo de todos, sejam os tesouros que estão no pote do arco-íris de cada um, seja o lixo que todos acumulamos e não reciclamos.

Conversando outro dia com a Lucia, ela me dizia que tomava as dores dos seus amigos e que, por esse motivo, preferia às vezes que não lhe contassem nada para ela não ficar contaminada. "Se estou num ambiente astral, eu fico muito astral. Se vou para um ambiente estressante, eu fico estressada. Eu absorvo muito as energias à minha volta. Então, procuro sempre acender meu incenso, ter minhas pedras e meus cristais junto comigo. Gosto de ter um amuleto, porque é nele que eu me concentro e trago mais consciência de paz e tranquilidade para o meu dia a dia". Caso não consigam se proteger, os piscianos podem pagar um preço caro por não filtrarem o que lhes faz mal. Não só a Lucia, mas também a Emília absorve as emoções que estão no ambiente. "Percebo com

certa facilidade os sentimentos e a disposição de ânimo das pessoas. Essa característica de absorver tudo em determinados momentos dificulta a minha tomada de decisão ou me faz perder a conexão com os meus desejos", diz ela.

De fato, um altarzinho, uma macumbinha, uma lavanda, uma reza forte, um galho de arruda na entrada da porta não farão mal a nenhum pisciano que se preze. Muito pelo contrário: esses rituais ajudam o pisciano a se conectar com o todo maior e com as energias cósmicas para se reabastecer. No fundo, no fundo, toda pessoa de Peixes é um pouco para-raios, e, se não tiver fio terra, sua energia vai para o buraco.

Filhos de Netuno: fabricantes de sonhos

Acho que você já deve ter ouvido algumas vezes que os piscianos vivem em outro planeta, que são doidões, que se perdem no meio do caminho. Apesar de terem passe livre para transitar em regiões de difícil acesso à maioria, qualquer signo pode ser doidão e se perder por aí. Isso não é privilégio do nosso ente aquático. A diferença entre ele e os demais é que, com tal passe, ele tem permissão para conhecer o que ninguém entende e, por isso, dificilmente será escutado. Com esse circo armado, muitos deles se sentem desamparados, carentes e, principalmente, incompreendidos. Outros sentem até uma ponta de orgulho por serem dos poucos mortais a frequentar mundos para os quais os outros não foram convidados.

Descoberto em 1846, Netuno, tal qual os seus vizinhos Júpiter, Saturno e Urano, é um planeta gigante. Até essa data, o astro que estava diretamente ligado ao signo de Peixes era Júpiter, o deus todo-poderoso da mitologia grega. Para essa personagem mitológica, tudo é grandioso, do mesmo modo como são exagerados os piscianos. Nenhum deles está simplesmente cansado, está exausto! Ele não está só apaixonado, está enlouquecido de paixão, doente de amor! Se ficou um tempão trabalhando, dá uma "roubadinha" de mais uma ou duas horas só para dramatizar um pouco. Os piscianos que exercem alguma atividade artística, que falam em público ou que precisam se expor por algum motivo sabem tirar muito proveito dessa característica.

Depois da descoberta de Netuno, Júpiter dá passagem ao deus dos mares com o seu tridente, que assume no seu lugar o cargo de regente de Peixes. Sempre os dois andarão juntos, Júpiter simbolizando o entusiasmo e a fé e, Netuno, a fantasia.

Os oceanos, reino de Netuno, com sua amplitude, com sua profundidade e com a escuridão das suas fossas abissais, levaram os mortais a associá-los à imaginação, ao temor do desconhecido e ao mundo dos sonhos. Os monstros marinhos sempre habitaram o imaginário dos humanos, e, por associação, posso dizer que os monstros psíquicos perturbam constantemente o imaginário dos piscianos. E que monstros! Que fantasias! Umas sinistras, outras encantadoras.

Sonhar é, para os nossos peixinhos zodiacais, o oxigênio que extraem da água. Se os humanos respiram o ar, os piscianos respiram fantasias e sonhos. Isso não quer dizer que invariavelmente eles se desconectam da realidade, mas também que ela está imantada do mágico, do lúdico e do imaginário. A vida comum do pisciano é acompanhada de trilha sonora. Sabe aquela coisa de voltar para casa, deitar na cama e ficar relembrando todas as emoções, tudo o que rolou naquele beijo apaixonado trocado algumas horas atrás? Para um pisciano, talvez esse momento esteja mais carregado de emoção do que quando de fato ocorreu. Pura fantasia livre que lhe dá o sentido maior de viver.

A Lucia nasceu no interior, num sítio, na roça mesmo. "Desde criança eu falava que queria conhecer o mundo, que queria ser famosa, e a minha mãe ria, 'gente, de onde que um serzinho

desse tamanho tira isso? Então tá bom, minha filha, você quer ser mesmo famosa, você quer ser rica, você quer ser tudo isso, então vamos continuar aqui, vai aprendendo as coisas porque um dia, quando você chegar lá, você vai ter que saber fazer tudo isso para poder mandar. Então vem cá, vamos aprender a fazer um bolo, vem cá, vamos aprender a cozinhar, vem cá, vamos arrumar a casa', e eu falava que ia crescer e que eu não ia precisar fazer nada disso porque eu queria mesmo era conhecer o mundo. Acabou que fui para São Paulo e virei modelo de uma agência. Era uma coisa muito egoica, com muita disputa, e aquilo eu não entendia. Achava as pessoas falsas, eu não conseguia fazer amigos e tive uma dificuldade enorme de adaptação. Eu entrava no meu apartamento no final do dia chorando, com uma dor, com um vazio, com uma angústia, até que uma amiga me deu um livro de Astrologia que fez todo o sentido na minha vida. Aí eu me entendi como pisciana! Eu falei 'nossa, eu sou essa confusão toda, essa sensibilidade'."

Um outro aspecto relacionado aos fantasmas que habitam as regiões mais profundas da alma pisciana pode ser muito bem reconhecido numa situação que a Emília viveu na infância. Sua experiência traz tanto a força do seu desejo, a marca do fantasma do trauma, quanto a fidelidade que as pessoas de Peixes têm aos seus princípios. Afinal, Júpiter é o deus da justiça e Netuno, o das experiências emocionais profundas: "Em rara tentativa de transgressão, fiquei com uma marca muito traumática. Era uma emenda de feriado e pedi a minha mãe para eu faltar à escola. Claro que ela não permitiu. Mesmo assim, combinei com uma amiga de não irmos à aula. Foi uma tarde incrível! Nos sentíamos livres e felizes! Bem, ao chegar em casa, minha mãe me perguntou como tinha sido o dia de aula. Entendi que ela estava me testando para saber se eu ia mentir para ela. Pois bem, contei a verdade. No dia seguinte, ela me levou à madre superiora para que eu contasse o que tinha feito. A freira exigiu que eu revelasse o nome da amiga que estava comigo. Como neguei, fui expulsa da escola. Aos 11 anos de idade!!! Foi um desfecho muito doloroso para mim. Perdi a escola que adorava e as amigas que faziam parte do meu primeiro núcleo social. Esse 'causo' fala um pouco do meu modo de ser pisciana. Cresci muito fiel aos meus princípios, e um deles é a minha fidelidade aos meus amigos".

Ainda sobra para todo pisciano a fácil associação do seu humor com as oscilações da maré, com os tempos de calmaria no mar e os momentos de tempestades devastadoras. O pisciano é o cara das atmosferas, dos climas, daquela tromba insuportável que deixa alguns irritadíssimos e outros culpados até a sétima geração. Por falar em culpa, a nossa criatura aquática astrológica é mestre no assunto. As manipulações do tridente pisciano tanto agitando quanto acalmando o mar emocional que envolve seus relacionamentos, a exemplo dos dois peixes nadando em direções opostas, podem ser usadas a favor da criatividade ou da destruição.

Também vejo a Josi com um Netunão de tridente em punho encrespando as águas e, depois, acalmando a tormenta: "Inconstantes, nós? Nem pensar! Somos totalmente flex, crédulos de que o tempo é o nosso grande aliado em todas as conquistas e vitórias. Entendemos que o passado, apesar de toda a dificuldade de queimar caravelas e desatar correntes, foi um grande aprendizado. O futuro, uma grande conquista em constante construção. O presente, a consciência do dom maior que nos foi dado, a tal habilidade de lidar com os sentimentos, o que nos torna grandes administradores da família e dos afetos, com sabedoria e grande maestria. Mas não subestime toda essa bondade, nem nos coloque em prateleira ou em cima de muros, pois, uma vez violada essa tal confiança, nunca mais as coisas serão iguais. Guerreiros, fazemos pacto com duendes e fadas e estamos sempre dispostos a nos reinventar. Se estamos tristes? Não foi nada, foi só um instante, mas... já passou".

Voltando ao nosso fabricante de sonhos, o mágico que dá o truque e o oráculo que visita outros mundos, eu não poderia deixar de falar sobre o meu encontro com um pisciano que acreditava tanto na Astrologia que, quando o seu horóscopo diário dizia que a energia ia baixar, ele cancelava tudo e ficava em casa meditando e quietinho até o período passar. Nos idos de 1980, a Pat, aquela minha amiga-irmã-companheira-mãe taurina, um dia me sai com esta na lata: "Crau, vou te apresentar uma pessoa que, no mínimo, vai se tornar o seu melhor amigo. É impressionante como vocês têm coisas em comum". Essa pessoa era o Diduche, o ex-marido da Pat e o seu melhor amigo-irmão-companheiro-pai até ele nos deixar aqui, saudosos da sua doce presença, e partir desta para outra existência.

Ele foi um dos piscianos mais piscianos com quem convivi. Namoramos e, afinal, confirmando a fala oracular da Pat, ele se tornou um dos meus melhores amigos. Diduche era dono de uma empresa de construção civil e disse para ele mesmo que, quando juntasse dinheiro suficiente para não precisar trabalhar mais, largaria tudo e viveria num barco. Um belo dia, já perto dos seus 40 anos, sentado à beira da piscina com um copo de uísque na mão, Diduche escutou: "Eu é que não me sento no trono de um apartamento com a boca escancarada, cheia de dentes, esperando a morte chegar...", música do nosso querido guru, Raul Seixas. Não deu cinco minutos, vendeu a construtora, pegou Pat pelo braço e juntos foram para o Norte do Brasil. Lá ele comprou o saveiro Soberano da Costa.

Mas a situação mais pisciana da sua vida eu acho que foi a brincadeira — que ele levou a sério durante anos — dos dados. Qualquer decisão que precisava tomar, ele colocava seis opções e jogava o dado. A que saía era cumprida religiosamente. Até que um dia, em alto-mar, com a Pat, o Soberano deu defeito. Lá foi Diduche para os dados, e uma das opções era afundar o barco.

E não é que foi essa que saiu no dado? Ele já estava planejando como faria para realizar a predição do oráculo quando a Pat conseguiu — não sei como — convencê-lo de que tudo aquilo era uma loucura! Bom, Diduche cedeu, mas nunca mais jogou os dados.

A sombra de Peixes: a mania de perfeição

Quem diria que essa criatura que sabe se colocar no lugar do outro com tanta sabedoria, que tem a sensibilidade à flor da pele, que costuma ser condescendente, que abre mão de si mesma para ajudar quem precisa, não admita errar e acredite que tudo está ao seu alcance? Para um pisciano, errar é fatal, e, quando não resta outra coisa senão reconhecer que "foi mal, desculpa, não sabia, não tive a intenção", automaticamente ele se abriga no mundo de Netuno, nas fossas abissais do silêncio e do isolamento. E você imagina que é fácil tirá-lo de lá? Costumo dizer que só se acessa um pisciano emburrado entrando pelo basculante do banheiro, se infiltrando sem dar muita bandeira e, como quem não quer nada, "Ahaaa! Ó eu aqui!". Evidentemente que ele saca toda a sua estratégia, mas faz de conta que não vê. Muitas vezes tem que se segurar para não ter um ataque de riso e botar todo o jogo a perder.

Se para um pisciano a compreensão de que tudo é possível é o seu lado luminoso, então sua sombra é imaginar, primeiro, que está tudo certo, nada está fora do lugar. Segundo, que ele pode influenciar os outros e também se transformar naquilo que bem quiser. Quem dera! Que o diga a Emília: "Posso falar de muito afeto, dedicação e generosidade, mas pontuo uma característica negativa que tenho, que é a da onipotência. Você acha que pode, mas não pode mudar e/ou controlar as pessoas. Posso tentar me modificar, o que também é bem difícil!". A minha amada e querida sonhadora pisciana sempre teve seus ideais na ponta de um estandarte.

Eu bem sei o quanto ela luta e trabalha para realizá-los. E quando, uma vez, eu comentava com ela sobre a onipotência do signo de Peixes, ela me saiu com esta: "Eu não me dei conta durante anos da minha vida de que as pessoas não possuíam ideais como os meus. Achei que estava cercada de apoio quando, na verdade, ele não existia".

O signo de Virgem, oposto e complementar a Peixes, aponta para a aceitação de que errar é humano, que estamos aqui para aprender com os nossos vacilos. A sombra de Peixes é achar que nunca nada está tão bom como deveria e que tudo deve ser perfeito. Ai de quem apontar um defeito, uma mancha de café na camiseta, um erro de interpretação! Este então é um pecado mais do que mortal. Por outro lado, essa mesma sombra aparece na crítica, às vezes insuportável, que os piscianos costumam fazer de tudo. O mais compreensivo dos mortais, o mais distraído dos seres não consegue ficar sem apontar um defeitozinho que seja em tudo que é atingido pelo seu olhar, seja pessoa, lugar, sapato ou aquela obra respeitada pelo mundo inteiro.

Conheço piscianos que não desgrudam da sua agenda por nada neste mundo. A dependência é tamanha que, se por acaso perderem aquele caderninho com anotações que só eles sabem decifrar, se perderão de si mesmos. Essa é a sombra do signo de Virgem, que, se for posta a serviço da produtividade, ajudará os sensíveis piscianos a organizar suas turbulências emocionais e a tornar seus sonhos realidade.

A luz que ilumina o signo de Peixes pode ser muito bem representada pela fé, ao passo que a sombra que ela projeta no signo oposto, Virgem, aparece como desconexão com o universo das coisas palpáveis, da falta de paciência com as pequenas coisas práticas que ajudam qualquer ser mortal a existir neste mundo profano da matéria. Às vezes, eu acho que os piscianos não se deram conta ainda de que encarnaram.

"Eu tenho também muita fé, uma fé cega de que as coisas sempre vão dar certo, e é lógico que já me levou para situações muito complicadas. Mas essa fé é uma fé maior, tem algo que eu não sei bem explicar, mas que sempre me sustenta, me dá apoio, me conforta nas horas difíceis. Ela é a minha força, é ela que me permite sonhar e ir atrás do que eu quero. É óbvio, para mim, que sonhar é sempre mais fácil do que encarar a realidade. Às vezes, eu já tenho tudo prontinho no mundo dos meus sonhos, no mundo da minha fantasia, e, quando chega a hora da execução desse sonho, de colocar em prática, quantas vezes eu já desisti, porque faltava base, faltava pé no chão pra realizar." É assim que minha querida aluna, que tocou minha alma numa aventura na serra da Bocaina, negocia luz e sombra, Peixes e Virgem, para equilibrar as suas energias.

Os piscianos da minha família: Eduardo, Marina, Gustavo e Rique

Confesso! Sou do signo de Peixes! Pronto, disse. Ah, os peixes e os sonhos... Somos chamados de "viajadões", fora do ar, desantenados e por aí afora. Até aí, sem novidades. Entretanto, achar que isso é o suficiente para descrever aqueles que portam como signo a última fatia do Zodíaco é demais. Se assim fosse, eu mesma não conseguiria escrever, dar aulas e atender religiosamente todo dia. Aqui cometi um ato falho, que não escondo do leitor. Pensei em escrever "pontualmente", e só agora percebi que meus dedos teclaram "religiosamente". Peixes!

Essa coisa meio móvel, deslizante e intuitiva faz parte do senso de responsabilidade dos piscianos. Tudo acaba dando certo, sem que se saiba bem como, mas dá. Tudo se resolve normalmente na última hora, quando as portas do escritório estão fechando. A

maior parte do tempo os peixinhos passam em outro mundo. E que mundo é esse? Querem saber? Não temos a menor ideia.

De fato, esse universo não tem nome até o momento em que alguém, com uma inspiração doida, o "pesque". Aí, contudo, nem sempre as coisas melhoram para nós. É que as explicações do que seria esse mundo não coincidem com a realidade, isto é, com o senso comum. Nomear, principalmente as coisas imateriais, muitas vezes é considerado coisa de maluco. E sabem quando esse clichê é desconstruído? Quando um pisciano tem uma intuição. Diz-se então: não é que o maluco acertou? Como??? Não me perguntem jamais como. Se eu soubesse, deixaria de ser pisciana.

Pois é. Vivemos naquilo que chamam de mundo dos sonhos. Mas qual é o problema? Costumo dizer que todo pisciano é um fabricante de sonhos. Há muitas maneiras de expressar, no mundo objetivo, aquilo que a alma produz. Eu escrevo, fotografo e interpreto cartas astrológicas. Essas atividades são exercidas sem a menor contribuição da lógica ou da organização. Vai saindo... algo em nós fala. Não somos exatamente nós. Algo em nós sente. Algo em nós faz.

Dizer que piscianos não fazem, isto sim é maluquice. Todos os piscianos que me cercam — e são muitos — produzem alucinadamente. Todos trabalham e imprimem a marca da sensibilidade no que fazem. A diferença em relação aos demais signos é que a organização de Peixes não segue regras rígidas.

Eis aqui a minha história com o mais lindo exemplar desse espécime de pisciano. Depois de um bom tempo experimentando ser feliz comigo mesma, coisa que não me permitia desde os 12 anos, quando dei meu primeiro beijo na boca, meu olhar atravessou a barreira natural que separa o mestre do aluno e eu me encantei pelo meu professor de Psicanálise e Filosofia. Bastou um toque da minha amiga Zoé, total aquariana, para ligar minhas antenas piscianas e compreender o que eu não tinha percebido até então. Até aí, o.k.! Quem é de Peixes dá esses cliques assim do nada, e na maioria das vezes acerta. Adivinhem o signo do professor. Eduardo é pisciano.

A questão é que, num primeiro olhar, Edu não dá a menor bandeira de pertencer a esse signo dito sensível, intuitivo, olhinhos boiando nas lágrimas. Ele é um dos dois peixes que nada nas águas profundas. Eu nado nas águas rasas. Enquanto eu extravaso dramaticamente o que sinto, ele armazena no seu celeiro psíquico tudo que toca sua sensibilidade. Talvez o exercício da profissão de psicanalista, que exige dele a escuta do que não é dito, tenha fortalecido o peixe da profundidade. Só quando estamos na intimidade do silêncio a dois ele alcança o meu na superfície e o convida para visitar seu universo impenetrável. Imaginem aqui a alegria do meu peixinho quando abro aquela arca das emoções naufragadas e ele delicadamente me deixa levar um tanto do seu tesouro comigo.

É evidente que nem sempre somos esse oceano de delicadeza. Quando o mar encrespa, cada um vai tentando segurar o leme do jeito que pode. Só nos resta, então, pedir para Netuno vir à tona com seu tridente e acalmar os ânimos de dois piscianos intensos e intempestivos. Baixada a tormenta, uma onda de amor invade e nós seguimos juntos mergulhando na profundidade e respirando na superfície do nosso encontro.

Quanto ao famoso caos pisciano, a organização do Eduardo dá bons motivos para um desavisado dizer que a Astrologia é uma bobagem, que não funciona. A verdade é que ele se impõe uma disciplina pra lá de rígida, e ninguém que conhece um pouco da língua dos astros afirmaria de primeira que ele é desse signo. E olha que nem o ascendente nem a Lua estão em signos que primam pela organização. O fato é que ele sempre diz que se impõe uma rígida disciplina para não se perder no horizonte infinito da sua imaginação. Apenas por isso. No mais, ele se deixa levar pelas correntes da sensibilidade, sem pudor e sem medo.

Como se não bastasse estar casada há anos com um pisciano, ele me presenteou com dois enteados também do signo de Peixes. O pacote veio completo! Bem, costumo dizer que essa nossa família virou uma moqueca baiana. Marina é como eu, as lágrimas não são contidas e escorrem que nem cachoeira, tanto na tristeza quanto na alegria. Sua sensibilidade toca meu coração, e ela me acolhe quando me fragilizo. Profissão? Designer, com um trabalho lindo, que é pura inspiração. Já Gustavo não é o peixe das lágrimas. Ele é mais como o pai, prefere as profundezas. Assim como nós três, ele trabalha numa profissão que exige sensibilidade e inspiração. É produtor musical e faz vibrar a caixa torácica de milhares de pessoas com sua criação na música eletrônica. Pois essa é a minha família do lado de cá, que me foi dada pelo cosmos com esse encontro de alma, corpo e espírito com meu grande amor pisciano.

Para completar meu oceano familiar de piscianos, ganhei um genro da mesma espécie. Rique é casado com minha filha Luna e é um daqueles piscianos calados, na dele, e eu sinto que ele vai captando tudo, mas tudo mesmo, que acontece à volta. Aquele tumulto de Beatriz pra cá, Clarinha pra lá, e Luna, como uma boa virginiana que é, tentando administrar tim-tim por tim-tim a demanda de cada uma das filhas, não abala o Rique, que, sabendo deixar a coisa rolar, acalma a galera e nada para as bandas da sua produção de cerveja artesanal. Diga-se de passagem, maravilhosa, divina! Por fim, Rique faz parte dos piscianos que mergulharam nas profundezas em que navega o meu peixinho calado. Apesar de o outro falar sem parar, eu tenho, sim, um que não fala. E é no encontro do silêncio do Rique com esse meu outro peixinho que nós conversamos e sentimos que rola a maior sintonia, o maior carinho e uma profunda admiração mútua.

Agradecimentos

Aos meus alunos, que me ensinam a viver a Astrologia; à Ana Madureira, que me estimulou um dia a escrever; ao Guilherme Samora, meu editor, fonte de inspiração deste projeto; ao Roberto de Carvalho, meu amigo e parceiro na paixão pelos astros, que generosamente escreveu a orelha deste livro; a todos os amigos que encheram de amor a minha alma durante o tempo em que escrevi.

Aos amigos arianos: Armando Carneiro, Fernanda de Lamare, Flavio Rossi, Natacha Martinho e Pedro Gutman;

Às arianas da minha família: Isabela Lisboa e Madeleine Hartley.

Aos amigos taurinos: Anna Capanema, Guga Millet, Guilherme Samora, Patricya Travassos e Sonia Ribeiro;

Aos taurinos da minha família: Fernando Lisboa Neto, João Pedro Lisboa Viana e John Hartley.

Às amigas geminianas: Beth Levacov e Gilda Midani;

Às geminianas da minha família: Clarice Lisboa e Jane Hartley.

Aos amigos cancerianos: Branca Lee, Charles Gavin e Vera Cordeiro;

Ao canceriano da minha família: Felipe Roseno.

Aos amigos leoninos: Claudia Roquette-Pinto, Denise Costa, Euler Carvalho, Lia Maria de Gomensoro, Vicente Pereira e Viviane Pedruco;

Às leoninas da minha família: Ana Clara Lisboa, Josi Lisboa, Margarida Rozenthal e Mariana Lisboa.

Às amigas virginianas: Delia Fischer, Elisa Ventura, Lia Farah e Sonia Maria Soares;

Aos virginianos da minha família: Beatriz Lisboa, João Pedro Lisboa e Luna Lisboa.

Às amigas librianas: Maria Lucia Mattos, Mariana Roquette-Pinto e Marta Luz;

Ao libriano da minha família: José Maria Lisboa.

Aos amigos escorpianos: Ana Madureira, Carol Badra, Chico Bicalho, Eliane Trigo e Julie Marie Safady;

Ao escorpiano da minha família: Bebeto Alves.

Às amigas sagitarianas: Isabella Torquato, Maria José Langone, Priscilla Salgado e Teca Andrade;

À sagitariana da minha família: Kim Bins.

Às amigas capricornianas: Monica Neves, São Carneiro e Susanna Kruger;

Aos capricornianos da minha família: Bernardo Lisboa, Fernando Lisboa, Fernando Lisboa Jr., Janaina Lisboa, Maria Lisboa e Mel Lisboa.

Aos amigos aquarianos: Marcia Penna Firme, Mauro Rochlin, Regina Cury e Zoé de Freitas;

Aos aquarianos da minha família: Amanda Lisboa e Bernardo Amaral Lisboa.

Aos amigos piscianos: Diduche Workman, Emília Maria Fernandes, Josane Rocha, Lucia Mayer e Tetê Karabitchevsk;

Aos piscianos da minha família: Eduardo Rozenthal, Gabriella Lisboa, Gustavo Rozenthal, Marina Rozenthal e Ricardo Zanatta.

Este livro, composto na fonte Fairfield,
foi impresso em Lux cream 60 g/m² na Rettec.
São Paulo, Brasil, novembro de 2023.